国际大奖小说

TOBiE LOLNESS

橡树上的逃亡

（第一部）

[法] 蒂莫泰·德·丰拜勒/著 [法] 弗朗索瓦·普拉斯/插画

刘英华/译

新蕾出版社

图书在版编目 (CIP) 数据

橡树上的逃亡/(法)丰拜勒著;刘英华译.
—天津:新蕾出版社,2007.9(2016.7 重印)
(国际大奖小说)
书名原文:Tobie Lolness
ISBN 978-7-5307-4045-3
Ⅰ.橡…
Ⅱ.①丰…②刘…
Ⅲ.长篇小说-法国-现代
Ⅳ.I565.45
中国版本图书馆 CIP 数据核字(2007)第 124865 号

津图登字:02-2007-2

出版发行:新蕾出版社
e-mail:newbuds@public.tpt.tj.cn
http://www.newbuds.cn
地　　址:天津市和平区西康路 35 号(300051)
出 版 人:纪秀荣
电　　话:总编办 (022)23332422
　　　　　发行部 (022)23332676　23332677
传　　真:(022)23332422
经　　销:全国新华书店
印　　刷:山东德州新华印务有限责任公司
开　　本:880mm×1230mm　1/32
字　　数:210 千字
印　　张:11
版　　次:2007 年 9 月第 1 版　2016 年 7 月第 18 次印刷
定　　价:28.00 元(共两部)

一辈子的书

梅子涵

亲近文学

一个希望优秀的人，是应该亲近文学的。亲近文学的方式当然就是阅读。阅读那些经典和杰作，在故事和语言间得到和世俗不一样的气息，优雅的心情和感觉在这同时也就滋生出来；还有很多的智慧和见解，是你在受教育的课堂上和别的书里难以如此生动和有趣地看见的。慢慢地，慢慢地，这阅读就使你有了格调，有了不平庸的眼睛。其实谁不知道，十有八九你是不可能成为一个文学家的，而是当了电脑工程师、建筑设计师……可是亲近文学怎么就是为了要成为文学家，成为一个写小说的人呢？文学是抚摸所有人的灵魂的，如果真有一种叫作“灵魂”的东西的话。文学是这样的一盏灯，只要你亲近过它，那么不管你是在怎样的境遇里，每天从事怎样的职业和怎样地操持,是设计房子还是打制家具,它都会无声无息地照亮你,使你可能为一个城市、一个家庭的房间又添置了经典,添置了可以供世代的人去欣赏和享受的美,而不是才过了几年,人们已经在说,哎哟,好难看啵!

谁会不想要这样的一盏灯呢?

阅读优秀

文学是很丰富的,各种各样。但是它又的确分成优秀和平庸。我们哪怕可以活上三百岁,有很充裕的时间,还是有理由只阅读优秀的,而拒绝平庸的。所以一代一代年长的人总是劝说年轻的人:“阅读经典!”这是他们的前人告诉他们的,他们也有了深切的体会,所以再来告诉他们的后代。

这是人类的生命关怀。

美国诗人惠特曼有一首诗:《有一个孩子向前走去》。诗里说:

有一个孩子每天向前走去,
他看见最初的东西,他就变成那东西,
那东西就变成了他的一部分……

如果是早开的紫丁香,那么它会变成这个孩子的一

部分;如果是杂乱的野草,那么它也会变成这个孩子的一部分。

我们都想看见一个孩子一步步地走进经典里去,走进优秀。

优秀和经典的书,不是只有那些很久年代以前的才是,只是安徒生,只是托尔斯泰,只是鲁迅;当代也有不少。只不过是我们不知道,所以没有告诉你;你的父母不知道,所以没有告诉你;你的老师可能也不知道,所以也没有告诉你。我们都已经看见了这种"不知道"所造成的阅读的稀少了。我们很焦急,所以我们总是非常热心地对你们说,它们在哪里,是什么书名,在哪儿可以买到。我就好想为你们开一张大书单,可以供你们去寻找、得到。像英国作家斯蒂文生写的那个李利一样,每天快要天黑的时候,他就拿着提灯和梯子走过来,在每一家的门口,把街灯点亮。我们也想当一个点灯的人,让你们在光亮中可以看见,看见那一本本被奇特地写出来的书,夜晚梦见里面的故事,白天的时候也必然想起和流连。一个孩子一天天地向前走去,长大了,很有知识,很有技能,还善良和有诗意,语言斯文……

同样是长大,那会多么不一样!

自己的书

优秀的文学书，也有不同。有很多是写给成年人的，也有专门写给孩子和青少年的。专门为孩子和青少年写文学书，不是从古就有的，而是历史不长。可是已经写出来的足以称得上琳琅和灿烂了。它可以算作是这二三百年来我们的文学里最值得炫耀的事情之一，几乎任何一本统计世纪文学成就的大书里都不会忘记写上这一笔，而且写上一个个具体的灿烂书名。

它们是我们自己的书。合乎年纪，合乎趣味，快活地笑或是严肃地思考，都是立在敬重我们生命的角度，不假冒天真，也不故意深刻。

它们是长大的人一生忘记不了的书，长大以后，他们才知道，原来这样的书，这些书里的故事和美妙，在长大之后读的文学书里再难遇见，可是因为他们读过了，所以没有遗憾。他们会这样劝说："读一读吧，要不会遗憾的。"

我们不要像安徒生写的那棵小枞树，老急着长大，老以为自己已经长大，不理睬照射它的那么温暖的太阳光和充分的新鲜空气，连飞翔过去的小鸟，和早晨与晚间飘过去的红云也一点儿都不感兴趣，老想着我长大了，我长大了。

“请你跟我们一道享受你的生活吧！”太阳光说。

“请你在自由中享受你新鲜的青春吧！”空气说。

“请你尽情地阅读属于你的年龄的文学书吧！”梅子涵说。

现在的这些“国际大奖小说”就是这样的书。

它们真是非常好，读完了，放进你自己的书架，你永远也不会抽离的。

很多年后，你当父亲、母亲了，你会对儿子、女儿说：“读一读它们，我的孩子！”

你还会当爷爷、奶奶、外公和外婆，你会对孙辈们说：“读一读它们吧，我都珍藏了一辈子了！”

一辈子的书。

TOBIE LOLNESS

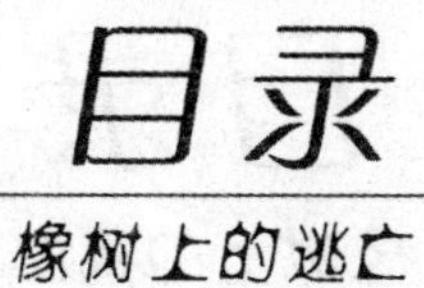

第一部　逃离之路

第 一 章　追捕 …………………………… 003

第 二 章　告别树梢 ……………………… 010

第 三 章　与冬天斗争 …………………… 021

第 四 章　爱丽莎 ………………………… 031

第 五 章　夜蛾 …………………………… 042

第 六 章　巴拉伊娜的秘密 ……………… 050

第 七 章　仇恨 …………………………… 062

第 八 章　尼尔·阿芒 …………………… 074

第 九 章　火山口 ………………………… 087

第 十 章　信使 …………………………… 099

第十一章　罗洛克 ………………………… 110

第十二章　蒂尔克头 ……………………… 122

第十三章　黑寡妇 ………………………… 132

第十四章　塞多尔农庄 …………………… 144

第十五章　磨坊 …………………………… 155

目录

橡树上的逃亡

TOBIE LOLNESS

第二部　秘密生存

第十六章　秘密生存 …………………… 167

第十七章　活埋 …………………… 180

第十八章　好一个泽福 …………………… 191

第十九章　大树之石 …………………… 202

第二十章　中空的树枝 …………………… 214

第二十一章　冬佰尔地狱 …………………… 227

第二十二章　淑女计划 …………………… 240

第二十三章　木乃伊 …………………… 255

第二十四章　消失 …………………… 269

第二十五章　别样天 …………………… 283

第二十六章　最后的旅行 …………………… 294

第二十七章　另一种生活 …………………… 305

第二十八章　暴君的未婚妻 …………………… 316

第一部

逃离之路

第一章

追　捕

托比身高1.5毫米，就他的年龄来说，这不算太高。他躲在树皮窟窿里不敢动弹，只有几个脚指头露在外面。黑夜像一只水桶，把他卷罩其中。

他抬头仰望苍穹，有几颗星星在闪烁，透过橙红色树叶的间隙，星空显得格外分明，但夜却因此而更黑了。

“月亮不在的时候，星星就会跳起舞来。”他心里默默地想着，不禁喃喃自语，“如果天堂里也有天空的话，它应该没这么深邃、这么遥远、这么动荡不安……”

托比舒展开身子，头贴着树皮上的苔藓，神情忧郁黯然，泪水淌过耳际滑进头发里，冰凉冰凉的。

他察看了一下自己的伤势：一条腿伤得比较严重，两个肩膀划痕累累，头发上血迹斑斑，手指也被荆棘火烧伤了。而对于身体的其他部位，他已经没有感觉了，那些地方早已因为疲惫和疼痛而麻木了。

几个小时前，他算是已经死过一回了，他弄不明白为什么他现在还活在这里。想起以前他到处插手管闲事时，人们总是对他说：“托比，又是你在这里！”但是今天，他无数次低声问自己：“我还活着吗？我还在这里吗？”

但是，他的确活着，而且活得非常痛苦，那痛苦甚至比天还高。

鲜花节那天，有人在人群中捆住了他爸妈的手，从此，他的天空塌了下来，暗淡成现在这个样子。他常常自言自语地说："要是我合上了眼，我也就死了。"然而他的眼睛却一直睁开着，深处还有两汪泪湖，泥泞而浑浊。

就在这时，他听到了一阵喧闹，恐惧再次袭来，一下子从头传到脚。他们一行有四个人，三个大人和一个小孩，那小孩举着火把，照亮了四周。

"他肯定就在附近，他走不了多远的。"

"我们必须抓住他，他也得像他的爸妈一样，要为此付出代价。"

黑夜中，第三个人的眼睛反射出火把的光，他吐了口唾沫说道："我们会看到他的下场的，会看到的。"

这是一个噩梦，惊醒时分，他本应该跑到爸妈的房间哭闹，然后就会有人穿着睡衣把他带到通亮的厨房，用温水给他泡蜜糖汁儿，外加一些小糕点，哄着他说："没事了，我的小托比，没事了。"他喜欢这美好的一切。

然而今天，他躲在树皮窟窿的深处，颤抖不已，他尽量收紧脚趾，藏好在洞里。托比，十三岁，却被整个民族追捕着，不是别人，就是他的本族人。

而此时他所听到的，比这黑夜更叫人害怕更让人心寒。那是一个人的声音，很熟悉，像是他以前的结拜兄弟莱奥·布吕发出来的。

托比四岁半的时候，莱奥走进了他的世界。托比记得那一天，莱奥从家里给他偷了些糕点，从此，他们便形影不离，一起分享幸福和快乐。有那么一段时间,人们甚至称他们为“托莱奥”,就像是一个人的名字。那时莱奥已经父母双亡,住在姑妈家,他的爸爸埃尔·布吕曾是一位著名的冒险家,留给他唯一的财产就是那架用轻薄木片做的飞去来器[1]。家庭的不幸让年幼的莱奥变得懂事而坚强,他的内心里积聚了一种强大的力量,好的坏的都能驾驭。当然,托比喜欢他好的方面:他的智慧和勇敢。

那天,当托比一家收拾好行囊正准备迁居巴斯-布翰希[2]时,他们俩谁也不愿离开谁,硬是在干花蕾里躲了两天三夜才出来。托比记得很清楚:当时爸爸哭了,爸爸这个大男人从来是有泪不轻弹的。

然而今夜,托比独自蜷缩在他的黑洞里,他多么希望那个挥动着火把、站在他前方不远处的人,不是莱奥。然而等听到他大声叫喊时,他的心都碎了。

“我会抓到你的,托比,我会抓到你的!”

深夜中,这声音一直在树枝间回荡。

这支小队伍一步步在逼近,他们手里拿着棍棒,用棍尖敲击着树皮,找出其中的窟窿和裂缝。毫无疑问,他们的猎物就是托比。这让他想起每年春季大人和孩子一起驱逐白蚁的情景,他们不放过任何一个角落,直到把这些害虫赶到很偏远的树枝上去。

“我会把他从洞里揪出来的。”

说话人的声音近在咫尺,托比似乎都能感觉到那人说话时呼出的热气。他不敢动弹,甚至连眼睛都不敢眨一下,因而只能

---

[1]投掷出去后能飞回来的玩具。

[2]意思是树底层地区。

大睁着。火光照亮着黑夜,而棍棒的敲击声越来越近。

就在这时,棍尖狠狠地落在他的脸上,留下了一个手指尖般大小的印,他瘦弱的身子顿时僵硬了,差点没昏死过去。然而他拼命睁着双眼仰望苍穹,尽管他的天空只是在这几个人的黑影中闪烁出现,尽管他知道这一次他逃不掉了,一切即将结束。

突然,火光没了,他们再次陷入黑暗,只听见一声怒吼:“嘿!莱奥!是你熄灭了火把?”

“对不起,它掉下去了,火把掉下去了……”

“没用的家伙!”

唯一的火把没了,他们只能在黑暗中继续搜寻。

“我们不能因为没有火把就放弃我们的任务,我们必须把他找出来。”

“对。”另外一个人附和着说道,他的手开始在树皮上摸索,这只手离得如此之近,以致托比感觉到了他搅动的气流。这个人肯定是喝醉了,浑身散发着酒气,他咆哮着说:“我要亲手逮住他,亲手把他撕碎,然后我们再设法让别人相信我们并没有找到他。”

另外一个人笑着对他的同伴说："这个家伙，本性难改，去年春天他一个人杀死了四十只白蚁。"

对，在他们眼里，托比连一只白蚁都不如，那些棍棒和火把便是最好的证明。

托比一直瞪圆着眼睛仰望星空，以此保持着头脑的清醒。然而，当两个黑影同时笼罩过来时，他知道谁都救不了他了。就在他的眼神要松懈时，一根棍子朝着他的身子敲了下来，说时迟那时快，他本能地一闪，身子紧贴在一旁，棍子敲在树皮上，看来这个家伙通过他的武器能感受到的只是这树皮的坚硬。

但是，另外一个人的手却已经伸进了窟窿里。

托比再也忍不住了，泪水夺眶而出，一只粗壮的手落在他的身上，然后慢慢地移动，快到脸部时却突然停住了。那人在窃喜之时大声嚷道："抓到了，我抓到他了！"

四周一片死寂。

其他几个搜寻者也都凑了过来，把这个可怜的伤痕累累的小孩团团围住。莱奥此时一声不吭，估计他是不敢面对眼前的这位儿时好友。

然而此时，托比已经超脱了生死，什么都不怕了，即便是当那个人把手摸到他身上，狂笑着扯下一个东西亮在其他几个人的面前时，他都没有打个哆嗦。

沉默，沉默，比下雪的冬季还漫长的沉默。

托比原以为那人扯下了他衣服的一角，得意地拿在手上向其他几个人卖弄呢，但一会儿沉默便被打破了："是树皮，这只是一块树皮。"

对，那人拿在手上的确实只是一块树皮。

"伙计们，不好意思，我跟你们开了个玩笑！显然，他不在这

里，可能已经跑到巴斯-布翰希去了，我们明天上那里看看。”

这小队人马连同他们的说话声逐渐远去，就像一团伤心的云，最后消失在浓浓的夜幕中。当然，大家心中的失望难免会挂在嘴边，这一路，其他几个人总是时不时挖苦一下那个自以为抓到托比的家伙。

四周又恢复了一片死寂。

也不知过了多久，托比终于缓过神来了。呼吸声还在，靠着树皮的身子也还在，他还活着，他还有意识。

刚才到底是怎么一回事?思绪一点一滴地涌上心头。

他回忆起刚才的分分秒秒，很奇妙。那猎人明明是把手搁在他的身体上，但感觉出的却仅仅是一块木头；那猎人明明扯下的是他的衣角，不知怎的却成了一块树皮，并且其他几个人也认定那只是一块树皮。托比有一种很强烈的感觉：是这棵大树用它的树皮大衣掩护了他，救了他。

突然,托比僵住了。

这会不会是个陷阱?

没错,那人很可能感觉出手掌下是一个小孩的身体,但他当时并不想说出来,他要糊弄一下其他人,没准现在他正躲在某个角落等着托比的出现。托比相信自己的直觉没错,那个猎人曾经说过要亲手抓住他,并且像对待白蚁一样把他捏碎!此刻他肯定躲在某个地方监视着他的一举一动,可能只要他探出身子,他的棍棒就会砸过来。一想到这里,托比不由得浑身哆嗦,恐惧再次传遍了他的每一根神经,连喉咙都哽咽了。

托比一动不动地待着,警惕着任何细微的响动。

什么也没有。

慢慢的,头顶上的天空又回来了,这片星空一直陪伴着他,一直在用无数双眼睛关注着他。

而此时,他也感觉出一丝温暖,那是身后树木的余热。时值夏末,树枝树干都存储了一定的热量,托比现在待在树干高层部位,这里阳光明媚充足,到处散发出木香,就像是热面包的香味,以前妈妈在树叶面包上洒上一些花粉后,也带有这种香味。

这温馨的香气让他安心,让他完全沉醉其中。

终于,他支持不住了,眼皮开始打架,脑子里的一切开始模糊,痛苦、害怕、莱奥的疯狂都在逐渐远去。他忘记了自己是那些猎人眼中的猎物,也忘记了自己是众矢之的。他的意识越来越模糊,睡意几乎席卷了全身,他忘记了一切——孤独,不公平,还有那些他一直没弄明白的"为什么"。

他沉沉地睡着,幸好在这样一个夜晚,他还有一小块栖身之地。困倦中他只做了一个梦。

在梦中出现了一个面孔,那是爱丽莎。

第二章

告别树梢

因为整个白天都在赶路，都在逃避敌人的追捕，托比告诫自己不可以在这个时候想她，但这对他来说是很残忍的，因为他能想念的就只有她。

曾经，他给自己的心垒筑了一堵墙，墙外有观哨所和护城河，他还安排了一群战蚁在巡逻道上查岗，这一切都是为了阻止他去想她，他不应该在这个时候想她。

然而，事情都是这样，越刻意不去想却越想得厉害，因而，她和她的绿裙子无时无刻不在他的记忆中翻滚，似乎比天空还要现实地存在着。

托比家离开树梢迁居巴斯-布翰希地区后，他才结识了爱丽莎。

那一次，他们是举家迁移。

那一年秋，也就是9月的一个清晨，当树梢的居民们还在沉睡时，托比和他的家人离开了那里。

他们走了七天才到达目的地。有两个搬运工帮着拿些必需品，这是两个极其唠叨的家伙，他们只是为了保证这家人不会在半路打道回府，因为事实上他们不需要帮什么忙：仅仅只有两个

小箱子、一些衣物、几本书和一箱资料，这些资料是托比的爸爸桑·罗尔奈斯的。

罗尔奈斯先生是当今最伟大的学者，这一点毋庸置疑。他对大树的秘密了如指掌，受到众人的崇拜和赏识，本世纪他已经论证了许多重大发现。但是，博学多才仅仅是他身上微不足道的一部分，更重要的是他那博大明智的心灵。

桑·罗尔奈斯是一个善良、谦虚又极富幽默感的人，如果他有意进入娱乐界的话，一定很容易就能走红的。然而，罗尔奈斯教授终身追求的绝不只是娱乐民众，在他眼里这些只不过是一时的兴致而已。

托比和爸妈都是第一次去巴斯-布翰希，他们不认识路，只能朝着大致的方向跋涉。在树上，这样的旅行就像是一次冒险活动，人们步行从一个树枝来到另一个树枝，一不小心就可能迷失在死胡同或者滑倒在倾斜的树枝上。时值秋季，落叶纷纷，人们还得时刻留意避开这些棕黄色的大盘子，因为它们很可能把这些旅行者们卷入一片陌生地。

不管怎么说，这样的迁徙行动并不常见，通常，人们都愿意在他们出生的树枝上生活到老，在那里工作，结识朋友——这也就是人们把老朋友称为“老树枝”的由来。婚姻选择的对象也只在本地区或者是邻近树枝上，要是哪家树梢地区的女儿嫁给一个树丫地区的小伙子，是不被家族看好的，因而这种情况并不多见。然而这种事情恰恰发生在托比父母身上，因此，几乎没有人赞美他们的爱情。

然而，桑·罗尔奈斯逆大流，他不同意一个家族世世代代待在同一个地方，不去开辟新天地。他主张建立“家族谱系图”，每一代都有责任延伸他们各自家族的枝系，往上延伸进一步接近天空或者往更偏僻的地方移居。在当时，人们并不认可这种思想。

当然，大树上的人口不断增长，这就注定有一些家庭要移民到偏远的地方去，但这是一个集体决定，是整个家族的迁徙行动，不是一个人说了算的。这些家族可以选择去占据一些还未开发的树枝或者去中央移民地。中央移民地位于大树深处，那里枝丫阴密。

然而，没人愿意去巴斯-布翰希地区，那里不仅偏远，而且位置很低，差不多快挨着地面了，至少，没有人主动愿意迁移到那里。

罗尔奈斯一家人也不例外。这天晚上，他们一行人到达了奥奈沙，这是一片荒野之地，位于巴斯-布翰希地区的最底层。

最后的那两天，他们一路走来一路看，算是见识了这个地区的全貌，那叫怎样的一个糟糕！

这里的景致让人触目惊心，整个地区就是一个庞大的迷宫，树枝弯弯扭扭，荒无人烟，而且特别潮湿，他们能看到的只是一些虫茧虫卵。大片的树皮因为太潮湿而腐化，有些树枝看上去很奇怪，他们都不敢踩上去。树丫中间有一个个小湖泊，绿色的苔藓都连成了一片森林。在一块厚树皮上，人们开出一条路和几条水渠。这里有很多奇怪的昆虫，枯枝败叶常年堆积在枝头上，因为很厚，风都不能把它们吹下来。这里就像是一个悬空的热带雨林，到处充斥着奇怪的声响。

因为离别了好朋友莱奥·布吕，托比一路都在伤心地哭泣，但一到巴斯-布翰希地区，他立马收住了眼泪，眼前神奇的景象迷倒了他，心中离别的伤感一下子就被抛到脑后了。以前别人跟

他描述这里时像是一个地狱，但亲眼目睹了之后，才发现这才是他的家，他的天堂：一个神奇的地方，一个充满快乐和幻想的天堂。

越往前走，托比越兴奋，表情越来越快活洋溢，但他的妈妈美娅却越来越沮丧，越来越支持不住了。

美娅出生于一个大户人家，她的家族在树梢占了近三分之一的人口比例。这个家族富甲一方，树主干上有许多地衣种植园，家族领地都位于阳面，而且经常组织大规模的狩猎活动或者大型的舞会。他们的舞会邀请的都是一些最漂亮的年轻人，通常是彻夜灯火通明直到黎明时分才结束。美娅的父亲常常演奏钢琴曲，其他人围着他翩翩起舞，人们沉醉在美丽的星空下流连忘返。

美娅就是在这样欢快的气氛中长大的，她是阿罗哈家族的独苗苗，家人都很喜爱她，尤其是她的父亲。

可惜他英年早逝，那时美娅还只有十五岁，从此他的妻子掌控了家里的大权，她下令永久终止那些月幕下的华尔兹和盛宴。

阿罗哈夫人，也就是托比的外婆，是一个很阴郁的人，她就像是白天里的一只大蜘蛛到处作怪。她不会把幸福带给她的丈夫和女儿，更不会带给他们的管家珀卢先生。她一下子停止了家里所有的开支，巨大的财富开始在她身边囤积起来。

阿罗哈夫人如此吝惜金钱以至于忘记了它们真正的使用价值，就像一个小孩在床底下收集了一大堆的糖果，等到哪天早上发现它们都长了霉时，才意识到早应该把它们吃掉。然而，阿罗哈夫人的钱是不会长霉的，会长霉的是阿罗哈夫人自己，她变得越来越刻薄了。

托比知道当外婆得知自己的女儿要与一个哈漠[1]地区的年轻人订婚时，说了一句很经典的话："你是不是想生出一群鼻涕虫！"

不错，桑是生长在哈漠地区，这里的鼻涕虫久负盛名，它们身体庞大，但毫无攻击性，它们的鼻涕油脂是油灯最理想的原材料。哈漠地区的人们非常喜欢这些鼻涕虫，因此桑常常温柔地叫托比"我的小鼻涕虫"，当然，这也是为了纪念他岳母的名言。

但外婆阿罗哈并没有坚决阻止这场婚礼，之后不久，美娅·阿罗哈嫁给了桑·罗尔奈斯，他们一直很恩爱。他们是在一堂针线课上第一次相遇的，那一年美娅十九岁。

据美娅讲，那个年代，富裕家庭的女孩都必须学会做针线活，而当时的桑·罗尔奈斯则把生命的大部分时光都花在图书馆、实验室和植物园里，根本没有时间去约会。因此，桑选修了一

[1]即树梢地区。

门针线课，每星期上一个小时。众所周知，这是女孩子们的专业课，很显然，他成为了这门课上唯一的男学生。他能同时遇上三十个女孩，可以很好地利用这段时间来了解这些女孩子，而之前女性世界对他来说是完全陌生的。

第一个星期他在观察。

第二个星期他发明了一台织布机。

第三个星期这门课因故没上。

直到最后一节手工丝织课。

美丽的美娅仿佛一下子开了窍，突然意识到了贝雷帽下那个年轻人的存在，意识到那个大老远从哈漠地区来这里学针线活的年轻人的存在，她一下子坠入了爱河。

那是一个春天的早晨，美娅轻轻地叩响了他小房间的门。

"你好！"

"小姐……嗯……是……有什么事吗？"

"上最后一节课时，您把帽子落在那里了。"

"哦！我……我的上帝……"

美娅一步跨进了房间，桑反倒后退了一步，事实上，这是因为他第一次这么正儿八经地看一个女孩子，他觉得自己好像发现了一颗新行星，他想做点记录，但又觉得好像有点不大合适。说实话，就冲这个莫大的惊喜，他不仅仅是想把它写成两本，不，三本书，他还想就这么待着，什么也不干，就这样看着她。

还是美娅把他拉回了现实，她问道："我没打扰您吧？"

"不……您……我尊贵的小姐，如果我得到允许的话，您……打乱了我的整个人生。"

"噢！不，对不起……"

美娅向门边走去，桑赶紧走上前拦住她的去路，他推了推他的眼镜，说道："不！我……你可以留在这里……"

他端给她一杯凉开水，还递上一个口香糖球。她端水的姿势优雅得让他想立刻把她画下来，然而他并没有这样做，他在努力抵制这种欲望。他跟她一起玩口香糖球，似乎想把他手头上拿的东西都粘上去，包括他的手指头。

美娅在那里偷偷地笑。

为了掩饰自己的窘态，他挨墙边靠着，然而此时他手里的胶丝已经把房间的四个角落都连缀成了一张网。

一会儿过后，美娅有点坐不住了，起身要离开。她跨过一根胶线，又从另外一根胶线下弓着身子通过了，之后就跨出了房门。

“非常感谢您给我送来这顶贝雷帽。”桑望着她离去的背影说道。

但就在这时，他意识到自己的帽子戴在头上，刚才她来的时候帽子也在头上，总之，他从来就没遗失过什么帽子！

刚取下厚厚的眼镜放在桌子上，他立马就晕倒在地，不省人事了。

之后，他明白那天自己为什么会晕倒了，很简单也很显然。从事情发生的逻辑来分析：他并没有落下他的帽子，但她却来给他还帽子，唯一的可能就是她来制造见面的机会。

她？

是的，这个理由足以让他晕倒。

一年之后，他们结了婚，在树梢举行了一场盛大的婚礼。阿罗哈夫人终于同意从她的财库里拿出一小部分用于筹办婚礼。当管家珀卢先生从堆满金币的浴缸中取出两枚时，他唉声叹气地说道：“夫人，再这样下去，我们这些仆人都要破产了……”

婚宴期间，阿罗哈夫人还算识大体，她控制得比较好，仅仅是嘲弄了她的亲家，拿他的笨拙开玩笑。

桑的父亲不熟悉上流社会的习俗和规矩，有很多地方需要他去注意和适应。他把菜盘子里装饰用的花瓣给吃了，还撩起了夫人们的裙尾说是为了不让裙子在地上扫灰尘。他不停地拧卷他的领结，就像是在卷纸一样……

结婚二十年了，这对恩爱夫妻却一直都没有孩子，这让阿罗

哈夫人甚为恼火。

然后有一天……

托比。

他一下子来到了桑和美娅的世界，让他们惊喜不已。

但很快，外婆发现这个小外孙不像是她阿罗哈家族的孩子，倒特别像是罗尔奈斯家族的人。

托比每年夏天都是在外婆那度过的，但是外婆却一直都是把他交给女家庭教师，甚至大老远看到他就会绕道躲开他——这孩子看着脏兮兮的。因此，七八个夏天下来，她很少见她的小外孙，每次见面，她都歇斯底里地尖叫：“走开，离我远点！”每次，她都像撵一个鼠疫患者一样把他撵走。

这也就是美娅越来越沮丧的原因。她一路都在抽咽，越深入巴斯-布翰希地区，她越伤心，因为从今往后，她就要和她的丈夫、儿子生活在这样一个鬼地方了。这种转变是很痛苦的，这是上流社会人的通病，尽管她一直在克服，但看到这污黑海绵状的地域时，万般苦水一下涌上心头。一路上她的伤心丈夫都看在眼里，并时不时问候她：“不舒服吗，美娅?”

“不，不，我这是太高兴了，能跟你们俩生活在一起。”她强挤出笑容说道。

她裹了裹披肩，继续赶路。

托比望着爸爸，他知道爸爸心里很难过，他的难过在于自己连累了妻儿。

因为，他们一家人都被流放了，被发配到巴斯-布翰希地区。

到了奥奈沙中部一根树枝上时，那两个挑夫就自个儿回去了，把他们扔在那里。那树枝上还悬着两片巨大的叶子，红得像

火。他们三个被放逐到这里，身败名裂。

“就是这里了。”桑低沉地说道。

这树枝是如此阴凉潮湿，以至于他们以为是行走在冰冷的雪原上。托比坐在他的箱子上，不断地拧袜子上的水。

“就是这里了。”爸爸又说了一遍，声音更沙哑了。

美娅把头埋在披巾里，用它遮着自己的眼泪。

光辉、荣誉灰飞烟灭，桑·罗尔奈斯和他的家人回归到一无所有。

一切从头再来。

第三章

与冬天斗争

托比和爸妈来到奥奈沙时还只是9月份，但很快冬天的警钟就开始倒计时了。其实，在巴斯-布翰希地区，秋天就已是寒气逼人了，更别提冬天了。这儿的冬天真是太可怕了，刚来的第一个晚上，因为还没有房子住，他们只能露宿野外。那一夜，一股股湿风冷飕飕地钻进被窝，冻得他们瑟瑟发抖，异常难挨。

“来，儿子，我们来干活。”

第二天一大清早，桑就叫醒了儿子。他们必须干活，必须一起来建造他们的家园，那便是在树皮层里挖出一套房子。

在树梢地区，要挖好一套普通的房子，至少得五六个人工作六个月，还得配备一套象虫畜力工具。

通常，人们先在树皮上掘开一个小口，然后一点点挖大，挖成一扇门，并在旁边开上几个窗户，接着便是丈量三四间房的面积和深度，这项工作必须认真规划，因为必须保证树身的循环系统不被破坏，不能伤了树的经络。

漂亮的房子还会有阳台，有一套很温馨舒适的家具，双缸壁炉，有些在房顶还配备有贮水容器，这样就能用上自来水。

然而罗尔奈斯一家只希望在这个寒冷的冬季里能有一个容身之所，哪怕是三个人共用一个小房间，只要房间里有壁炉取暖

就行了。但对他们仨来说,这是一项巨大的工程。

桑·罗尔奈斯个头很高,差不多有两毫米,体重也不轻,着实有八毫克。虽然他身体结实,但毕竟已年过半百,并且一点干这些活的经验都没有。这个聪明的学者,他能把乘法表背到一千位,甚至倒背如流;他能写出厚达五百多页的《广翅目昆虫长寿秘诀》和《水珠的光学原理》;他还能够一下子发现并且确认一颗陌生的星星,但是他却不知道:一只手握锤子开始锤第一下时,另外一只手必须扶着钉子,待锤定后才能撒手。

这一切他都必须一点点学,一点点做,一点点积累。

托比也有了很大的进步,并且比谁都快。当时他才七岁,却负担起所有的零碎棘手的细活。他的身子瘦小,最适合去挖壁炉的暖气管道,这项工作绝对不可以交付给象虫去完成。象虫毕竟是动物,不好控制,它们的牙骨锋利得跟砍刀似的,饲养它们来挖建房屋会带来一些很棘手的问题,因为如果这些虫子太多,就足以把整棵大树毁掉。虽然托比的父亲很反对大规模地饲养象虫,但是大树上的这种饲养业却越来越兴盛,原因在于它和建筑业是紧密联系在一起的。

罗尔奈斯一家既没有象虫,也没有最起码的工具,更别提工人了。托比是拿指甲剪在工作,他父亲用的是面包刀,罗尔奈斯夫人则用树脂铸成了几个窗户,并且缝缝补补,把一些碎布连成被褥和地毯。

总之,这个秋天可以用一个字来概括:挖。他们每天只能吃上两顿便餐,补充点能量,晚上也只能睡上几个小时,天一亮就得起来工作,而且时常是冒着雨工作。

圣诞节的上午,屋子终于竣工了。关上房门,他们仔细观赏了一番自己的杰作。这房子可不是在市场销售目录上的样品房，它的地板微微起伏，墙壁也不怎么平整，那几个窗户形状看起来都像是大熊星座，壁炉则像是一个三角形的巢，烟气通过弯弯扭扭的管道排出去。

托比有了自己的小床，挨着壁炉放着，到了晚上还可以拉上帘子，这样他就有自己独立的空间了。这帘子是用好几块布缝起来的，在上面我们可以认出一条衬裤，一条紫色的衬裙，还有两件衬衣。

之后的几年里，每当托比躺在床上时，就开始聆听炉火燃烧的噼啪响声，透过帘子上白色的衬裤，观赏火苗的影子。这样的事情他不知道重复做了多少回，每次他都会编造出一些故事，然后就在这或明或暗的帘子上没完没了地放映下去。

入住新居的第一个晚上，他们仨都兴奋得一夜没睡。

他们一起坐在那张大床上，手紧紧地握在一起。就在他们把门闩拴上时，寒风在屋外呼呼作响，屋内的炉火燃烧得正旺，有几片雪花落在窗玻璃上，但立即被融成了水，隆冬已经在敲打着他们的小屋了。

虽然房子很小，建得也不是很稳当，但是他们心里很满足。能够在自己亲手筑建的屋子里躲风避雨、抵御寒冷，没有比这更让人快乐和欣慰的了。托比终于看到久违的笑容又在妈妈脸上出现了，他感动得哭了起来。桑看到妻子和儿子的情绪时，开玩笑地说：“有一句话不知你们同不同意……我们现在很好，对不对？”

托比吸了吸鼻子说道：“我哭是因为我太高兴了。”接着便破涕为笑。

就在这时，一颗大泪珠从美娅的脸上滚落下来，这一次，是喜极而泣，因而，他们互相望着都笑开了。

这是个寒冷的冬季，但奇怪的是，这个冬季并不讨厌，至少在托比的记忆中，它一直都是个美好的回忆。

上午，他们会出门做点事情。他们在房子旁边的树皮上挖了一个壁橱，美娅每天上那里取回一小袋树叶粉，桑则和儿子拾些小木块为房子做些必要的修缮工作，但每次他们都会很快就回房间去，因为屋外实在是太冷了，屋里的炉火正在炉膛里燃烧着，等着温暖他们。

托比给炉火取名为福郎，而且像照顾小动物一样细心照料着它。每次一回到屋里，他就会给它添上一小块木材，福郎立马欢快地燃烧起来。美娅在旁边笑着，她知道儿子太孤独了，但他总会想方设法创造出一个伙伴来。

桑·罗尔奈斯从书架上取下一沓厚厚的蓝色的资料，堆放在桌子上，然后交叉起手臂，让托比大声朗读。这沓资料堆起来差不多有托比的鼻子高。

接下来的四个月，每天差不多都是这样过的。一开始，他压根不知道自己给爸爸念的是什么，前三个星期，他读了一本《树皮的地质构造》，但他什么也不明白，尽管有时候爸爸会满意地叹上一口气，但有时也会小声地训斥他。如果是后者的话，看来罗尔奈斯教授的学术著作又被念成了历险小说。

但是，托比越学越用心，当他懂得像“光线”“滑坡”这样的专业术语时，他心里高兴极了。渐渐地，他掌握的知识越来越多，也开始一点点弄明白了其中的意思。第二本书叫作《膜翅目昆虫的社会心理学》，托比很快就知道这里面讲述的是有关蚂蚁的事情，念起来的时候，他的声音更加自信。有时候，美娅也会停下手中的针线活，认真地听他们说。

所有的这些书记载的都是罗尔奈斯教授科研的精髓，他妻子很清楚地记得每一本书是什么时候完成的。比如《杜鹃亚目类的蛹》，这会让他们回味起结婚头几年里的美好时光，那时候桑每天晚上回来，都因自己的研究发现兴奋不已，迫不及待地想讲述给妻子听，而那顶贝雷帽总是歪歪地戴在头顶上。

这样的日子一直持续到第二年的4月，这期间，他们没见着一个人影，也没走出离家十分钟路程开外的地方。但就在4月的第一周，当屋子周围长出许多的花苞，并且要渐渐开放时，他们听到了屋外的一些声响。

刚开始托比还以为是自己在做梦。有人轻轻敲响了他们家的窗玻璃，他本以为是晴天到来之前的最后一颗雨珠，但是咚咚的敲击声又响了起来。他扭头瞧向窗户，发现了一张长满胡须的面孔，那人也正在盯着他看。他做了个手势示意爸爸停一下，桑惊讶地起身去开门。

一位老爷爷站在他们家门口。

“你好，我是你们的邻居，维戈·托尔奈。”

“你好，我叫桑·罗尔奈斯，很高兴见到你。”

那个叫维戈·托尔奈的人跟爸爸说了一些事情，爸爸打断他问道：“对不起，请原谅，我认为您是认识……”

“教授，我认识您，您是一位伟大的学者，我很崇拜您的作品，我看过您的那本关于溯源的著作，我来这里是想问候你们一下，做个邻居。”

“做邻居？”

桑朝托尔奈的身后放眼望过去，他并没有看到周围有什么房屋，像奥奈沙这样的地方，存在邻居的可能性太小了。托尔奈老人连忙解释说：“我住在离这里最近的一座房子里，但得朝着日落的方向走三个小时才能到那里。”

他进到屋里，打开自己的小包袱，从里面取出一个棕色的纸包。

“我现在是跟我的侄子住在一起，他是个虫蛹擦鼻涕工，我给你们带来了一些黑香肠。”

美娅迎了上去，接过他手里的纸包。

用蛹做的黑香肠是一道名菜，只有在节日宴会上才能享用到。在树梢地区，这东西卖得相当贵，但它产自巴斯-布翰希地区，也就是这片最贫穷最不发达的地区。美娅打开纸包，里面有八根黑香肠油光发亮。

伴随着他的到访,美丽的季节开始了。

之所以叫作美丽的季节,只是因为在巴斯-布翰希地区,这个季节相对其他几个季节而言,不再是特别地潮湿、寒冷和阴暗,但要是出门的话,身上穿的衣服还是会湿透,手和脚还是会被冻得发麻。

就在这美丽的季节里,托比放下了他的教育读本,开始去探索认识巴斯-布翰希地区。他每天早上喝完一碗黑糊糊的树皮浆就出门,直到晚上才回来。回来时他常常蓬头垢面,浑身湿透,虽然有些疲惫但眼睛神采奕奕。

不久,他就决定离家远点,想去寻找托尔奈的家。

在找到托尔奈家之前,他迷了五次路,直到最后他迎面遇到了三只巨大的虫蛹,这三只幼虫宝宝睡得正香,在他们的蛹里面

不停地打呼噜。维戈·托尔奈曾经说过他的侄子是个虫蛹擦鼻涕工，是专门照顾那些虫蛹的，于是托比推测他离目的地应该不远了，最终他找到了托尔奈的家。托尔奈的家也不大，两间陋室，没有窗户，只有一扇大门。一个个头不高、长得有点奇怪但看起来很憨厚的家伙坐在门槛上。这个憨厚的人看到托比后起身进屋里去了，之后托尔奈老爷爷就笑眯眯地走出来了。

“啊，我的孩子，见到你真是太高兴了，你是怎么认识路走到这里来的？”

刚才那个人又出现了，他站在托尔奈的身后。托尔奈接着便跟托比解释：

“这是我的侄子普朗，这里是他的家。他是个好心的人，他收留了我，这些年来一直是他在照顾我这个老头子。普朗，我跟你介绍，这是……”

“我叫托比。”托比自己说道，并且主动向他伸出手。

“对，对，托比·罗尔奈斯，”托尔奈重复着说，“我以前跟你说过，这位就是桑·罗尔奈斯的儿子，是整棵大树上最伟大的、最杰出的学者的儿子……”

普朗闷闷地咕哝了几下，转身回房间去了。

“对了，忘记告诉你了，普朗是个哑巴，他从二十岁就开始做虫蛹擦鼻涕工，现在他有三十五岁了。”

托比之前还以为他只有十二岁左右。

他们一进屋子，托比就打开褡裢，从里面拿出一些饼干和托尔奈一起分享。托尔奈很震惊也很感动，他没想到托比这么快就把他当成了朋友。因而，托尔奈怀着某种感激和温情，跟托比讲起了这个地区的一些情况，他说他已经喜欢上了这个地方，但因为潮湿，他的腿还是备受折磨。

“我年轻的时候特别鲁莽，干过许多傻事，而现在，我老了，走不动了，但眼界却更开阔。我好像终于成熟了，懂事了。”

普朗时不时从门后面探出脑袋盯着这个小小的访客看，每每这时，托比就会向他做一个友善的手势，但他立即就像一阵风一样消失了。

“年轻人，你多大了？”托尔奈接着问道。

“七岁。”托比回答说，一边啃饼干一边晃着脑袋。

“小李子和你一样大。”

“哪个小李子？”

“住在大边界的小李子。”

“哪个边界？”

“与光人居民区相交接的地方，离你家大概有四五个小时的路程。”

托比很早就听说过光人居民区的存在，但有人当面跟他说起这个还是第一次，因为“光人”这个词好像是个忌讳，人们一般不会在小孩面前提起。

说到这里，他们的谈话就此打住，因为托尔奈意识到时候不早了，他催促托比趁天还没黑赶紧回家去。

那天晚上，托比躺在床上，听着火噼啪燃烧的声音和妈妈的针织的摩擦声。他仿佛在帘子上的那条白衬裤上看到了光人地区神奇的轮廓，同时脑子里开始琢磨那个叫小李子的人。

当一个孤独的小孩得知，只要走上一天的路程就能找到一个跟他同样年纪的伙伴时，他便会不顾一切去寻找。他肯定能做到，尽管他只有七岁。这是一种神奇的吸引力，小孩子们再熟悉不过了。

当然，恋人们也很熟悉这种力量。

整整过了一个月，这个伟大的日子才来临。

第四章

爱丽莎

直说吧，托比这天是彻底迷了路。以前的那些还算不上真的迷路，只是多兜几个圈子折腾几个来回，往前走三步又退回来三步等等，但这次他是真丢了……

“我的孩子，你的巴斯-布翰希真的很复杂，道路乱糟糟的，纵横交错！”这是桑对他说的，虽然他从来就没踏出过他们家花园。

这个迷宫藤蔓交错，树皮上山脉连绵起伏，苔藓已经变成灰色，但还是连成一片大森林。在这样一个地方，托比差不多每天要迷路十次，但是他开始对方位有了神圣的意识。尽管如此，托比这次还是彻底找不到回家的路了。

对于已经迷路了的人，以下的过程是最让人担心的：

1.迷了路却还越走越快。

2.这样的话，他每多走一步就离家更远一步。

3.因此，他越错越深，彻底迷路。

这一天，走了四五个小时的路，托比终于气喘吁吁、汗流浃背地停了下来。他的状况确实非常糟糕，比以往任何一次都糟糕：天黑了，他找不到回家的路，爸妈不知道他在哪里，根本不知道上哪里去找，况且他的爸爸只要一走出家门不是掉到水坑里就是跌进树皮窟窿里;托尔奈老爷爷因为风湿病,行动也很不方便;普朗一刻也不能离开那些幼虫。总之,形势不容乐观。看来没人能帮上他,他只能孤零零地自言自语道:"这回我是真的迷路了……"

托比走到一段粗壮的树枝上后就不再走了,他坐了下来开始脱袜子,他要拧干袜子里面的水,这是他一贯的休息方式。也只有在这个时候他才会去审视一下自己的状况,看看自己到底在哪里,因为湿袜子老是打乱他的思维。

两只小手拧着袜子,一滴混浊的水珠从指缝间滑了出来,跌落在树皮的缝里,并且沿着隙缝一直往前滚。托比用眼睛盯着它看,好像已经没有别的想法了。他穿好鞋站了起来,就像在梦境中一样寸步不离地跟踪起这颗水珠。

这时水珠卷上了一小块灰色的苔藓,并且载着它一直往前流动,托比的眼神有些迷离,但一刻也没离开过这滚动着的水珠和飘动在上面的那一小片苔藓。

树皮间的渗水与它汇合起来,因此水珠流动的速度加快了。为了追上那片苔藓,托比也不得不加快脚步。这水珠沿着缝隙不停地向前滚动,托比也因此在这巨大无比的树枝上不停地奔跑。托比心中不再有恐惧,以前因为他的机灵勇敢人们都把他当成小大人了,但现在看来,他仍然只是个小孩。但初生牛犊不怕虎,七岁的小孩什么都不怕,眼睛里只有好奇和快乐。

这水珠现在已经和渗水汇成了小溪流。托比一路奔跑着,爬过一棵棵木刺,绕过一堆堆枯叶柄,心一直扑通扑通跳得很快,但注意力却始终没有转移。他紧盯着那一小片苔藓,却没有意识到不远处就是一个深渊。他从树皮斜面上奔下来,要不是一个花

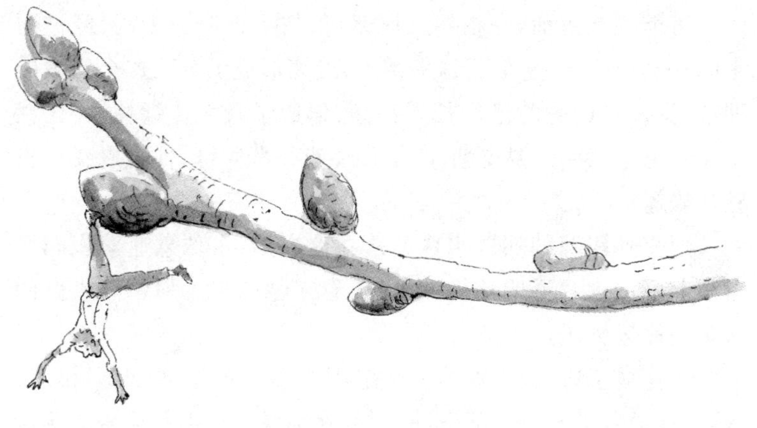

骨朵及时地把他绊倒,他恐怕会和那片灰色苔藓一起坠入深渊……

他整个身子悬在半空中,头朝下,脚上的鞋粘在花骨朵上。

就这样,他坚持了一小会儿,小声嘀咕着说:“我是真的迷路了!”但此时说这番话已经包含了另外一种意思。

他命悬一线,虽然一只脚粘在花骨朵上,但他很快就有了一种恐怖的感觉。他感觉到湿袜子在鞋里滑动,总是这该死的湿袜子坏他的事……现在他的鞋还紧紧地粘在花蕾上,然而身子却慢慢地滑向深渊。

深渊?托比勇敢地睁开眼正视着头下的这片深渊。只见头下方黑糊糊的一大片,但似乎有些地方在闪耀着微蓝的光,这让他极为惊奇。可能是因为悬着晕眩,也因为精疲力竭,托比都有点傻了,他的意识逐渐模糊,花了整整一分钟才看清这片深渊到底是什么样:

一大片凹凸起伏的树枝间围着一个巨大的湖泊,差不多距他三十多米远。这个悬在树枝间的湖泊真是一个奇观。

可能很久以前，一根树枝脱落了，树皮上有一个洞，经过雨水的洗刷和冲击，这个洞越来越大，最终形成了今天这个清澈的湖泊。湖岸边的青苔已经长得很高，形成了一大片森林，托比甚至还看见了白色的树皮湖滩，上面还有一些隙缝，他可以在那里驻扎帐篷。

原来他跟踪的那颗水珠就落在这湖里，水珠急速落入湖面后激起了一大片透明洁白的浪花，看来他袜子上那颗臭烘烘的水珠的命运倒还真不错。

托比缓了口气，心跳的速度也逐渐平缓下来，更加不可思议的是，他的身子不再往下滑动，而是就那样一动不动地悬在花蕾上。

托比想起他外公阿罗哈经常挂在嘴边的一句话："恐惧让人栽倒"，当然，这句话是他妈妈常跟他念叨的，他从来就没弄懂过，他原来还以为是说人们受到惊吓后有可能会趴倒在地上呢。

但从今以后，他彻底明白了这句话的含义：

如果我们生活在恐惧中，前怕狼后怕虎的话，那我们的每一步都有可能会失败。此刻，当他悬在这湖面上时，他才意识到没什么好怕的，即便是跌落下去又能怎样？水会缓冲他的坠落。这样一来，他没有了恐惧。

托比的手沿着身子伸了上来，紧紧地把住一块凹凸不平的树皮。几秒钟过后，他便靠着臂力把身子撑了上来，不再是头朝下悬着了。这一个月在巴斯-布翰希地区来回穿梭的功夫总算没白练，他差不多都成了个小杂技师。

托比直起了身子，站在自己梦幻的国度上，他毅然决定再度去冒险。他开始抄右边的小路前进，这小路很陡峭但是直接通往湖边。

越往下走，风景越迷人，高高的苔藓林倒映在湖面上，里面时不时跳出几只水虱。湖面宽广无垠，要穿过湖面的话，至少得游上一个小时。托比以前从来没见过这么大的湖泊，树顶地区也没有，当然，现在在托比眼里，树顶地区只不过是一个露天的狱场。

托比没有犹豫什么，几秒钟内就脱了个精光，然后一个猛子扎进水里。

当晚霞的最后一抹余晖射进林子时，托比游起他那笨拙的蛙泳，溅得四周一片水花。水很凉，他有点喘不上气来，因而不敢游太远，于是就在水深至脖子的地方停下来，开始欣赏这面蓝色的大镜子。

他就这么待了好长时间。

"很美是吧？"

"是，很美。"托比回答道。

"很美很美……"

"是，我从没见过如此美丽的地方。"

托比站着没动，但几秒钟过后，他缓过神来，我这是在跟谁说话？对，他刚才明明是在跟一个人说话，他明明是在回答那个人的问题。

这个人有着两根棕色的辫子，正注视着他。她挨着托比的衣服坐在一块小木屑上。很显然，他们俩的年纪差不多，但她的眼神似乎更深邃。托比站在水里一动不动，头露在水面上。这个女孩的出现让他大吃一惊，当然还有一些尴尬。他四处张望，寻思着怎样才能机智地取到自己的衣服，但是她却一直待在衣服旁边丝毫没有要走开的意思。

她又开始说话了："还有一个地方也和这里一样美，只有那个地方能和这里媲美。"

"那个地方远吗？"托比问道。

这一次小女孩没有回答，她的手藏在披风里。托比又想到了另外一个问题："你是小李子吗？"

她笑开了，笑得很特别。一般来说，人们从四五岁开始就笑得很不自然了，随着年龄的增长，笑得越来越糟糕，但是她的笑容却还是那么天真，就像是人生的第一次笑。这笑容托比也特别喜欢。

"我叫爱丽莎。"

托比在水里待着，感觉到身子又开始发冷，但他仍然继续着他们的话题："我在找一个叫小李子的人。"

她又笑了起来，跟上次一样，充满灵气。

"谁跟你说起这个名字的？"

"托尔奈老爷爷。"

“你会着凉的。”

“对,我很冷。”托比瑟瑟发抖着回答说。

“你得马上出来。”

“对。”

“这样你会生病的。”

“对。”托比重复着说。

“好了,上来吧!”她一边笑一边大声嚷道。

托比尴尬极了,但又不得不硬着头皮一步步往前走。他一丝不挂、傻傻地跑到白色的树皮湖滩上,三下五除二把衣服穿好。

爱丽莎没有回避,看起来并不害羞,也没有要嘲笑他的意思,只是看到托比穿好衣服暖和起来后心里特别高兴。托比就在她的旁边站着,两个人一起看着湖面上远处的倒影。

“我迷路了,回不了家了。”托比很小声地说道。

她转过脸对着托比,这下托比把她端详了一番。她的长相很特别,扁平的脸蛋透着苍白,但眼睛却特别大而有神,坐着的时候,棕色的头发垂到膝盖上。

“我明天给你指路。”爱丽莎回答道。

“明天?”

“对,明天一大早我们就出发。”

“你知道我住在哪里?”托比问道。

“当然。”

“可是我今天晚上就得回家啊。”

“不行,天马上就要黑了,我们不能走夜路的。来,跟我来。”

她站了起来,露出了胳膊和手掌,这时托比看到她的小手,确定眼前的这个小姑娘跟他同岁。他们沿着湖岸往前走,托比紧紧地跟在后面。

“我们这是去哪里?”

“去我家。”

他们沿着湖畔默默地走了很长的一段路,然后攀上一个枝头。爬的时候托比注意到她一直是光着脚丫,而这一路凹凸不平,像是一片荆棘地。夜幕已经降临,但他们还是能隐约看到脚下的那片微蓝的光。

攀到枝头高处时,爱丽莎终于停了下来,这让托比很高兴,因为他终于可以停下来歇一口气了。这个女孩虽然个头比托比小,但是爬坡却像战蚁一样快,托比一路追得太辛苦了。湖面一点点消失在夜幕中,再也看不出周围的阴暗和潮湿,爱丽莎就这样远远地看着,仿佛永远都不会厌倦这种美丽。接着他们继续赶路。大概走了一刻钟后,一股香喷喷的气味扑鼻而来。托比只是早上吃了点东西,到这会儿,肚子早饿得叫个不停了,尽管他不敢吱声,但是那咕噜咕噜的声响摆明了他的饥饿。

“我们到了。”爱丽莎说道,“你在这等我一会儿。”

托比没有注意到树皮上面有一个椭圆形的开口,那绝妙的香味就是从那里散发出来的,他一直待在原地没动。爱丽莎飞快地跑进了屋,不一会儿,又出现在门槛上,喊道:“喂,你来不来啊?”

他爬上了一个小坡,进到屋里。这间椭圆形的小屋没有窗户,也没有壁炉,屋子中央点着一小堆火,好几个地方挂着几块大方布,布的颜色很鲜艳,一下就把他所有的注意力给吸了过去,以至于好一会儿他才意识到火堆旁边蹲坐着一位年轻的女士。女士笑迎着他说道:

“你好。”

“你好。”托比回答着。

“饿了吧?”

“嗯,是有一点。”托比撒了谎,其实他正饿得要命。

他模仿着爱丽莎,也在火堆边上坐了下来。那位女士递给他们一人一个餐盘,上面还盖着餐巾。爱丽莎揭开餐巾,托比看到露出来一张大饼,上面涂着黄油和蜂蜜,还是热气腾腾的。

托比的吃相很难看,至少在她俩看来是比较滑稽的,但他吃得津津有味。到最后,他索性放下盘子,一口气把爱丽莎递给他的一碗水喝了下去,抹抹嘴巴说道:

“我叫托比。”

她们好像对这个信息不以为然,似乎她们早就知道了这个事实。

他接着说道:“我在找小李子。”

这句话的效果明显多了，爱丽莎和那位年轻的女士都大笑了起来，虽然托比不知道她俩到底在笑什么，但也跟着她们一块儿笑。

“你们认识这个人啊？”

这一次，爱丽莎回答了他：

“我就是小李子。”

托比非常惊讶，但爱丽莎补充着说：

“我叫爱丽莎·李，这是我的妈妈。”

托比差点跌个四脚朝天。这位年轻的女士只有二十五岁，却是爱丽莎的妈妈？！她看起来如此年轻，就像是她的姐姐。她们的脸型很相像，都是扁平的，只是她的发辫盘在脑袋上而不是和爱丽莎一样垂着。

这个傍晚过得非常愉快，就像是在梦境中一样。他们围坐在火堆旁谈了很久，托比不断地给她们讲笑话。

到了晚上，爱丽莎点着几只大蜡烛带他去看她们饲养的胭脂虫。她的妈妈就是靠卖胭脂虫蛋和虫蜡来养活她们的。但养它们得很细心，所以很辛苦。这些巨大的家伙吃得肥肥胖胖的，像雪一样白，身子差不多比托比大一倍。

托比一边轻轻地拍打着它们的肚皮一边说道：

“它们看起来不怎么凶恶嘛。”

“别，别拍它们。这一个叫丽娜，那一个叫嘉里。”

“你们住的地方离大边界不远，你们不怕那些光人过来抓走你们饲养的这些家畜吗？”托比接着说道。这些信息是他还住在树梢时获知的，他曾经听到两个饲养业主关于光人的谈话，当时他非常吃惊。但他今天说起这个，纯粹是想找个有意思一点的话题。

但爱丽莎和她的妈妈似乎对这个威胁一点也不在意。

爱丽莎解释说:“我们只需要提防一些瓢虫。”

“瓢虫?”

“对,瓢虫是它们的天敌,经常把它们吃掉。”

回来后他们依旧围着火堆坐着,这时托比开始给她们讲一些有关瓢虫的知识,要知道他爸爸可是这方面的专家。托比花很长时间讲述了一种背上有十三个点的瓢虫,这种瓢虫极为罕见。出于好玩,托比要她们跟着念“卡吕奥德桑-布什吕拉塔”,这是一种背上有十四点的瓢虫的学名,这名字读起来很拗口,听起来也很深奥。

爱丽莎的妈妈努力试着,但还是说得含糊不清:“卡都奥特……奥德……卡吕噢德西……布苏拉那……”

爱丽莎比她妈妈厉害,一下就把它给说了出来。夜深了,他们都累坏了,决定爬到床上去睡觉。这里没有床只有床垫,放在色彩鲜艳的方帘子后面,爱丽莎选了黄色的帘子,托比选了红色的。闭上眼睛的那一刻,托比完全忘记了他的爸妈可能已经焦急地等他好几个小时了,只是听到小李子在迷糊中小声地说着“卡—吕—奥—德—桑—布—什—吕—拉—塔”。

第二天,爱丽莎把他送回了家,但她回避了他的父母。在桑和美娅还没能看到她时,她就消失在荆棘丛中。

就这样,一段伟大绝伦的友谊开始了,这让托比心中充满温暖。在巴斯-布翰希地区流放的漫长的岁月里,托比的生活因此阳光灿烂。

第五章

夜蛾

托比在树皮窟窿里昏睡了一整夜，早上醒来时都不知道自己身在何处，花了好长时间才明白原来这一夜他完全活在自己的梦里。记忆重新回到巴斯-布翰希地区，回到与爱丽莎初次会面的情景中。

黎明已经来临，第一缕阳光洒落在整棵大树上，托比努力尝试着动动身子。他的左腿痛得厉害，但好像还受他控制，身体其他部分好像是被痛打过一样。

通常，当人们从噩梦中醒来时，都会感觉到轻松和高兴，因为它们的现实生活温馨快乐并没有危险，阳光正从门缝里射进他们的房间，一切都是那样的安逸。

然而，托比正相反，他在睡梦中并没有什么意识，可等他睁开眼睛，纠缠他的是现实的噩梦。他想起自己是众矢之的，有人发动全民族去追捕他。他想起他早就一无所有，昨天那些猎人们还在搜寻他，差点把他从这个窟窿里揪出来。

要不是另外一种感觉强烈地刺激他，他可能已经倒在痛苦和焦虑中了，这种感觉就是饥饿。

他的父亲以前经常对他说：

“每一个人都有自己的秘密武器，我的是我的床，你的是你的碗。你想问题之前要是不吃点东西，就会把问题弄得乱七八糟。”

托比稍稍用了点力，用肘支撑着身体伸了伸脑袋，终于把头从隙缝中探了出来。他仔细观察了一下四周，猛然间想起那猎人很可能还躲在不远处窥视着他，托比不敢再动，在那里僵持了好一会儿。

尽管饿得晕头转向，但他的大脑这次并没有停止思维，他开始逻辑推理起来：要是那猎人真的还躲在那里的话，这会儿他也该跳出来把他抓住了吧。这样一想他就没什么可怕的了，索性把头都露了出来，两手紧紧抓住树皮上的一个小突起，把整个身子都挪出来了。

他感觉到自己就像是一个木偶，手和脚像是被系在圆形控制板上的木棍上牵引着，恰好自己又把鼻子给摔肿了，这样就像极了一个木偶名角，树上的人们经常把它的故事说给小孩听。

身上的伤口疼得厉害，就像是订书针钉进皮肉里一样。昨天他接连不断地跑了十个小时，差不多跌落了二十多回，然后就一直那样站在窟窿里睡了一个晚上。

但不管怎样，他还能走路，这是他这一天里第一个大好消息。他迈出第一步时小声叫了一下，听起来像是痛苦的呻吟，但实际上是欣喜的惊叹——他没想到自己的腿还能走路！他在窟窿里一动不动地睡了一个晚上，就是希望早上醒来时腿还能走路。

第二个大快人心的发现就是他找到了吃的。从洞里出来后他就一直在寻点什么东西吃，没走几步就发现了一只肥大的棕褐色的疥虫，这样他的早餐就解决了。托比并不是很喜欢这类寄生物，因为它们有些恶心，有时还会寄生在一些虫蛹里。通常人

们把它干煎或者油炸时，都得先用水煮很长时间。

但是托比今天别无选择。他把它撕成一大块一大块，生吞了下去，同时在树皮的凹陷处找到了一小洼水，一口气把它喝了个精光，还舔得极为干净，就像是急着回穴窝的蚂蚁一样。就这样享用了一顿临时安排的早餐后，他感觉到脑子又能够正常运转了，开始思索起他的计划。从他逃亡起，他就本能地只是朝着一个方向走。他抄小道离开树梢，来到现在这个高度的地方。他没有办法确认自己到底来到了哪里，但是他的整个身子都在给他指引方向，他很快就意识到自己的目的地是巴斯-布翰希。他之所以还活着，就是为了到达那个地方，那是他的世界、他的天堂，任何人都追踪不了他。

他父亲曾经试图告诉他："走吧，孩子，永远别停下来。"

但是托比更希望大树的某个地方安置着一个难民营，这样他就用不着四处逃窜，游离在生与死的边缘。

再然后，他又想起了爱丽莎，他身边只剩下她了，唯独她没有背叛自己，也只有她还一直在想方设法帮助自己。地狱之路在到达巴斯-布翰希的边界大门时就该结束了，他只要到了那里就回到了自己的天堂。

只要回到那里……但是踏上奥奈沙那片领地至少还得五天，而现在成百上千的猎人正拿着武器一路追捕他，他只能在晚上出来活动，像萤火虫、猫头鹰那些夜间捕食动物一样。

托比白天躲在树缝里休息，有时间就用嫩叶做成绷带包扎伤口。他被震醒三次，因为有一个部队闹哄哄地从这里经过，他们走得很乱，根本没什么次序，但是每一次托比都屏住呼吸，很紧张地缩在那里，直到他们走过很长时间后才松口气。

大家都在捉拿他,而且是越来越严密了。

再没有比这更不公平的战争了:树上所有的人对付着一个小孩。

时值9月,到晚上9点,天已经很黑了,整棵大树笼罩在夜幕中。托比下定决心从他的小槽中出来,他知道该往哪里走,就像是肚子里装着一个指南针一样。他试着走了几步,而后就像以前一样在树枝上跑了起来,求生的欲望让他暂时忘却了一切痛苦。

我们得好好看看托比在树枝间奔跑的样子:就像是一只蝴蝶悄无声息,小巧玲珑,并且神出鬼没。所有的招式他在巴斯-布翰希地区时已经练得很娴熟,大树就是他的乐园。

托比知道哪些地方是居民聚居区,那儿一般都是一些具有

行政功能的大城市，所以他尽量绕开这些地方。但是，追踪他的部队分出几支先遣队要赶在托比前面，要是天黑还没能到达驿站，他们就会在荒郊野外安营扎寨，因此托比还得特别小心那些营火。

突然，他听到了一些声音，并且是先闻其声后见其人。

这是一个十字路口，要是不想浪费宝贵的时间就必须从这里经过。托比没有其他办法，只能用肘支撑着身体，爬到路边，然后一点点向路口靠近。他看到十几个人围着一堆柴火休息，柴火快灭了，上面用铁钎烤着一串蟋蟀肉片，足足有半只，闻起来香喷喷的特别诱人，够他们这十来个人享受的了。还有很多的酒，他们可以喝个痛快。

托比现在很饿，但只能眼睁睁地看着。他躲在一边听他们唱起歌来。有的时候再铁石心肠的人也会心存美好，就像这些追捕他的猎人，他们的歌声把他带回了童年岁月。

那时，托比每年夏天都会去树梢上的外婆家。外公生前极爱打猎，但外公已经不在了，因此再没有人在外公的领地上组织大规模的狩猎活动，但是他的保姆有时会带他到邻近的一些树枝上去看别人家狩猎。托比有时会在猎人们发箭时抓他们的背，让他们射不中目标，或者胳肢那些优秀的猎手，痒得他们控制不了箭。因为他是个小毛孩，人们会原谅他所做的一切。有一次，他偷了人家猎回来的一只蚜虫，在衬衣里藏了一整天，到了晚上，他跑到离猎人很远的地方把它给放了。

然而，他最喜欢的还是黄昏时躲在狩猎休息间的桌子下面听他们唱欢快的歌谣，那个时候他只有五六岁，但却自认为比谁都更像一个真正的猎人。他热爱着那些歌谣，那些老掉牙的故事，甚至是桌子底下他们靴子里散发出来的汗臭味。

这天晚上，他确实没料到这些猎人也会唱起这些歌，可是他再也不是小托比，再也不是他们的开心果，再也不是人们围着桌子把他传来传去的小毛孩。相反，他已经成为他们眼中的猎物。明知道是穷途末路，托比却还是硬着头皮往前走，一步一步靠近他们的营地。

他在地上匍匐了好长一段时间，突然一阵嘎吱声引起了他的注意，那声音来自右边，而且离他很近。他扭过头来一看，顿时吓呆了，浑身的血仿佛凝固了，但硬是憋住了一声尖叫。

黑夜中一双红色的眼睛正死死地盯着他。

他顺势滚到斜坡下，把头埋在手臂里，过了好长一会儿，他意识到猎人们的歌声并没有停下来，才敢抬头看一下，但是那低沉的嚎叫声却更加咄咄逼人。

原来是只战蚁。

这只战蚁被关在一个围栏里,但它开始骚动不安起来,不停地拍打着栏杆。托比后来发现,旁边还有一双红色的眼睛也正盯着他看,而阴影处还有一只,很可能是自己的味道引起了这三只巨大的“看门犬”的注意。

看来可不只是这些猎人在追捕他,人们还把任务托付给了这些战蚁。托比正准备溜,但歌谣突然停了下来。战蚁的不安引起了猎人们的注意,一个头发乱蓬蓬的人站起来走向围栏,这人至少有两点五毫米高。

“你们给我安静点!”

托比滚进黑暗处,但战蚁也跟着向他聚拢,而那个人则在寻思着是什么引起了它们的骚乱。

“法尔科!埃诺克!你们能不能安静点?”

那人开始绕过栅栏上去跟那三只野兽说话。托比在想办法脱身,他知道必须得发生点什么才能引开他们的注意力,不管什么都行。他搜遍了口袋想找出点什么,但什么都没有,连一小块木屑都没有。那个人开始绕着围栏察看,他身后的那些同伴们也正想起身跟过来看个究竟。什么能把这三只野兽的目光从这黑暗处引开呢?

托比看着自己手上的树叶绷带,上面的血迹已经变成了黑色,一秒钟的工夫,他就想出了逃生之计。他扯下那些绷带,把他们裹成一团扔到栅栏的后面,没过多久,那三只战蚁便扑了过去,带血腥味的树叶绷带刺激了它们,它们开始厮打起来。

“是一片叶子!原来他们是在争夺一片叶子!”

那人踢了一下栅栏转身回到火堆边,跟他的同伴说明了情况。

一分钟过后,托比已经跑得很远了。

尽管刚才的危险已经过去了,但是托比并没有停下来,他一直在跑,似乎那些战蚁一直在后面追赶他一样。

他相信巴斯-布翰希正在召唤他回去,所以他不停地跑。以前流放在奥奈沙时,他就经常这样跑,每天都在树枝上穿梭,从不计算自己到底跑了多远。

天一点点亮起来,就这样他又过了一夜。他把一只反应迟钝的窃蠹从树缝里赶了出来,自己钻了进去,蜷曲着身子开始睡觉。是时候该他消失了,他只能等到晚上才和他的小群体相聚,和那些夜间活动的动物一起出没。

第六章

巴拉伊娜的秘密

“你在干吗?”

爱丽莎跳进了湖里,但在她消失在水面之前,托比害羞地把头扭向一边。

“托比你在干什么啊?你不下来吗?”

“哦……不……”

她扑通扑通地向瀑布那边游去,水帘冲击下来的声音特别响,差不多把她的话音都淹没了。

“来啊!托比!”

但托比还是待在湖滩上不动。

爱丽莎时不时地扎个猛子,等到她把脚趾也收进水里并且沉到湖底时,湖面回归成一面美丽的、蓝色的镜子,过不了多久,就会看到她气喘吁吁地冒出水面,睫毛上还挂着晶莹的水珠。

但很奇怪,这天上午托比几乎看都不愿看她一眼,他的脸色阴沉,若有所思,似乎完全迷失在自己的回忆中。

这是他们来巴斯-布翰希地区的第四个年头。虽说岁月漫长,但他们终究熬过了四年,如今生活的节奏也已经很有规律了。

这里的冬天特别寒冷,每个人都只能蛰居在自己的家里,托比这会儿只能跟着爸爸在家埋头苦读,暂时忘记外面灿烂的阳光。这几年下来,虽然他身体还像没有完全苏醒过来的树枝,但脑子已经含苞待放了。

他学得很快,他能把桑·罗尔奈斯教授一沓沓厚厚的资料三下五除二就消化掉,速度惊人。有人建议他在同一个主题内容上反复学习,这样才不至于让教授的知识储备很快枯竭,但是罗尔奈斯教授知道知识是无穷尽的,有时他甚至拿知识与树做比较,树的知识、树的秘密也是无穷多无穷大的。

他之所以经常把树与知识联系并等同起来,是因为他一直在捍卫一种信念:树是有生命的,它在不断地成长。但在其他人眼里这是一种极为荒谬的思想,他们总是认为树是没有生命的。

这是罗尔奈斯教授毕生研究的热情所在,但却是其他人最不愿接受的思想。所有的学者都在这个问题上争执不休:这些年来树发生变化了吗?它在慢慢老化吗?它不是不朽的吗?它是怎么起源的?会不会真有世界末日的来临?争论最激烈的当属于:树身之外是否还有生命存在?在这些问题上,罗尔奈斯教授总是坚持自己独特的看法,不随波逐流。

他的《树的起源》尤其受封杀。他把树当成是一个生命体讲述它的历史,他认为树叶不是孤立的植物,而是与树紧密联系在一起的,是它强大生命力的末端表现部分。但真正冒犯那些读者的是:这本书看起来像是在说树的历史,但实际上是在谈论树的明天。如果树像苔藓林一样生存的话,它就会变得特别脆弱。现在它伸开手臂收容我们,我们就有责任细心照顾它、关注它,爱护好自己的生存空间。

只要春天初露端倪，托比就开始四处踏春了。

书本什么的一股脑儿通通抛掉，他不愿意再钻研思考，他要尽情地呼吸、尽情地享受。他整天跟在爱丽莎后面转，这个精灵古怪的女孩一会儿这个主意一会儿那个念头，还总有数不清的发现。他俩一起探索了巴斯-布翰希地区的每一个角落，在极为阴暗的地区露营，穿透树皮层钻进树主干木质层，甚至还冒险跑到大边界——爱丽莎对那里很感兴趣，而泥潭和那些废弃的胡蜂窝也都是他们常光顾的地方。

“来啊，过来游泳！”爱丽莎对托比喊道。

这喊声更像一道命令，但是托比还是一动不动，在他内心深处正荡漾着一层深深的忧伤，起先他不明白为什么会这样。他把眼光聚焦在一根半浮在水面上的细枝上，这么多年来他第一次

想起了他过去的岁月。巴斯-布翰希地区教会了他一切,但就在今天,也就是他离十一岁还差三个月的今天,他突然间回想起了他的童年,思乡病涌上他的心头。

他想起了莱奥,他好久都没有他的任何音讯了。

相隔天南地北的友谊会变成什么样子呢?托比以前从没去想这个问题,在他眼里,莱奥已经成为他身体不可分割的一部分,“托莱奥”,没人能把他们俩分开。以前他们住在树梢时就有过约定,那是秋天的一个夜晚,他们额头碰着额头发誓永不分离。托比知道他们的父亲四十年前也这样约定过,即便是埃尔·布吕死了,他们的友谊也没破碎。布吕家族和罗尔奈斯家族的友谊从父辈传到子辈,而且会永远传下去。

光阴似箭,四年一晃而过,托比没有跟莱奥取得任何联系,但他把一切都埋在心里。托比好几次梦到过这位挚友,但每次都从睡梦中惊醒过来,因为在梦里,他差不多已经认不出莱奥,虽然他还穿着儿时的小短裤、戴着小时候的帽子,却已经变成了一个小老头。岁月的沧桑写在他的脸上,这张脸还时不时地对着他挤出一丝冷笑,托比很不喜欢这样的噩梦。

坐在湖畔,他还是深陷在自己的回忆中,此刻,他非常想回去看看以前的家。他们以前住在乌碧尔,院子里只有一个小小的花园,但花园井然有序,两条小径清理得很干净整洁,花园的最里面悬着一根中空的小树枝,树枝下面是一片深渊。因为存在安全隐患,托比是不被允许到那里去玩耍的,但树枝上的小洞眼特别狭窄,大人根本过不去,只有小托比能轻易地钻来钻去,这就给他提供了可乘之机,他时常溜进去玩冒险游戏。终于有一天,爸爸的手伸进洞里,抓住了他的小腿,硬把他拽了出来,当时他的脸被划伤了,从此之后,脸颊在靠近嘴角的地方有了一道长长

的疤痕。

因为只能在乌碧尔的小花园里玩耍，托比觉得特别无聊，但是失去后才懂得珍惜，四年过后，那儿变成了他魂牵梦萦的地方。那里的小点心，儿童游戏，那些小木屋，甚至包括他不喜欢的外婆，都成了他最美好的回忆。

爱丽莎从水里上来了，托比还是把头扭到一边去，平生第一次不愿意看到她从水里出来的样子，可是她什么时候才能明白他的这种感受呢？她似乎一直都是满不在乎的：慢慢腾腾地上岸，穿衣服也很不利索，甚至在托比向她解释这种害羞时，她觉得很不可思议。所以他只能简单地说：

“不能养成这种习惯。”

她一个字也没明白，而且觉得这个句子很奇怪，“不能养成这种习惯？”她的脑子里根本没有这样的一种理性思维，她觉得这一切都很自然。而后，她常常笑着让托比闭上眼睛，自己明明早就裹进了披风，却迟迟不叫他睁开双眼。

但是，这天下午，她看出来托比确实不是在开玩笑，所以她把衣服从头到脚穿戴整齐了才过来坐在他的旁边。她的头发垂在肩上，还在滴水。

“不舒服吗？”

“不是。”

“你在赌气？”

“没有。”

“你很伤心？”

托比心里尽管特别难过，但他不敢把它说出来，只能保持沉默。

“我明白了。”爱丽莎细声地说。

托比盯着她看了很久。沉思了一会之后,他决定告诉她:

“我以前从来没跟你说过我们为什么会来巴斯-布翰希地区。”

“因为你没有必要跟我说这些。”

对,是没有必要,有些伤心事还是不要让朋友知道的好,但是如果有一天他们知道了,生活将会变得更美好。所以托比还是一股脑儿地说了出来。

“你从来没见过我的爸妈,爱丽莎,你每次快到我家门口时就离开,但是我知道你会喜欢上他们的。我妈妈就像是一本漫画书,她经常给我讲各种各样的小故事,她还能做花粉小包子。”

“我爸爸的两只手很大,能把我的整个脑袋握在里面,他经常称呼我为小鼻涕虫。还有就是,他是个伟大的学者。我不跟你说这些是因为他是我爸爸,跟你说这些是因为这本身就是事实。”

“爸爸有很多发现,那都是些其他人根本想象不到的东西。他证实了爬满树皮的那些地衣其实是藻类与蘑菇真菌类的杂交体,这两种植物以这种方式结合并且永不分离。爸爸还认识到树会出汗,几乎每天出五十升!他很熟悉那些花骨朵的秘密,还有苍蝇、天空、雨水、星星……对了,他甚至还给了我一颗星星,名字叫作阿尔泰……”

“给你的?”

面对爱丽莎极为怀疑的眼神,托比解释说:

“是的,他指给我看,然后说那就是我的了,这就够了……要是你喜欢，哪天晚上我可以把它借给你。”

爱丽莎正想再问，托比又开始说了：

“爸爸博学多才，对什么都有研究，所以有很多发现，这也是人们爱戴他的原因。其中有一项重大的实验他做成功了，他本不应该那样去做的，因为它彻底改变了我们的生活。”

他们两个望着湖的尽头，那里的瀑布正在奔流不息。托比长长地叹了一口气，接着说他的故事。

那一天，爸爸本不应该那么早起床，本不应该那么早激活他的神经，但是他偏偏一大早就起来了，然后去了实验室，一整天都待在那里做实验。

我记得很清楚，那一天是我的生日，可爸爸平生第一次把它给忘了。他在实验室忙了整整一天一夜，甚至连他的助理托尼·西尔诺都无权进去。

有人跟我妈妈开玩笑说：“他是不是在做果酱？”因为确实是闻到了糖浆烧煳烧焦的味道……但是西尔诺一点也不觉得好笑，他不喜欢老板把他抛在一边不让他插手他的工作。

第二天大清早，当西尔诺还没来上班的时候，爸爸从他的实验室里出来了，脸上笑开了花。他在桌子旁坐下，端起一碗黑色的树皮浆一口喝了个痛快，不停地用手指轻叩着桌面。成功的喜悦洋溢在他的脸上，尽管眼皮因为过度疲惫肿得像两个大枕头架在高削的颧骨上。他脱下了贝雷帽，摘下了眼镜，摸摸脑袋，有点儿得意地问：

“你们没有听到什么特别的声音吗？”

我跟妈妈竖起了耳朵，是的，我们确实听到从爸爸的实验室传出一阵阵不同寻常的声音。我们跑了进去：爸爸办公室的地板

上有一个东西在爬动，我很清楚那是什么，那是我的巴拉伊娜。

当看到巴拉伊娜独自在地上行走时，我和妈妈吃惊得差点没倒下去……

爱丽莎也瞪大了眼睛。

“我以前从没有跟你讲过巴拉伊娜，”托比接着说，“它是我很小的时候仿照鼠妇做的一个小玩具模型，由一块小木板和几个小爪子在一块拼成的，就这么简单。”

但是那个上午巴拉伊娜竟然开始独立行走了，并穿越了爸爸的实验室！它的背上驮着一个黑色的盒子和一个小瓶子，直到那个时候我才明白，那就是我的生日礼物……

托尼·西尔诺来了，这个人更夸张，竟然吓晕了，幸好被我爸爸扶住。西尔诺也很熟悉巴拉伊娜，一年前他帮我整修了它的一个爪子，可是这天下午，他却看到它竟然在没有人力的帮助下走

起路来。

西尔诺刚缓过神来，但一听到巴拉伊娜的脚步声便又晕了过去，最终是我妈妈往他的脑袋上泼了一盆水，才让他彻底清醒过来。

我当时并没有意识到这项发明的重要性，我想：既然爸爸今年能送我一个会走路的巴拉伊娜作为生日礼物，那么明年他就能送我一个会飞的、用苔藓做的胡蜂。但是教授和他的助理互相用奇怪的眼神望着对方，爸爸把巴拉伊娜拿起来，放进一个小柜子里锁上了。我不敢提醒他说那是我的生日礼物……我猜西尔诺回去的时候也是一半兴奋一半失望，因为他也不知道是哪种神奇的力量让巴拉伊娜能够独立行走。

其实托尼·西尔诺很不喜欢被爸爸当成外人。

但是，一切都接踵而至。

接下来的那一个星期，巴拉伊娜在大树的国民议会上露面了。会议厅人员爆满，差点没被挤破。我和妈妈也来了，我们坐在楼上的最后一排，能来到这里我和妈妈感到非常骄傲。那天，妈妈戴着一顶红色的帽子，帽檐上还有一层短纱。她紧紧地抓着我的手。我系了一条针织领带，还带来一顶黑色的帽子，但却只能拿在手上，我总是不明白帽子要是不戴在头上还有什么用。

人们一边等待一边聊天。

我看到西尔诺也进来了，他也和我们一样坐在楼上最后一排，只不过是在另外一边。他似乎很不满意那个位置，拼命地往前挤到第一排，弄得他满头大汗，脸涨得通红。

这个时候，我爸爸出现了。他走上了讲台，做了做手势示意大家安静,台下顿时鸦雀无声。他把一个盒子放在手上,便开始了他的演说,而这时妈妈把我的手抓得更紧了。

“我亲爱的朋友,只要我来到这里,我就会跟你们讲树的知识,我会告诉你们它的力量。我之所以会讲到臭虫,是因为它吸树的元气;之所以讲到雨水,是因为它给了树生命。今天,我来给你们介绍一下巴拉伊娜,但树才是这项发明的关键所在,下星期我将专门给你们讲述它的秘密……”

国民议会大厅安置在一个绿啄木鸟窝里,这个窝位于一根水平树枝的正中央,大厅是露天的,以便人们能看到上面交叉的树枝和天空,因为我们离树梢很近,所以天空也就不远了。这时爸爸抬头望了望天空,一缕阳光射了进来,把一颗颗微尘照得非常明显。爸在仰望这缕光线时看到了坐在楼上的我和妈妈,他向我俩耸了耸鼻孔,这是我们之间特有的打招呼的方式,所以没人注意到他的这个小动作。

他把那个小盒子放到地上,打开其中的一面,接着大家便看到巴拉伊娜从里面走了出来,我的那个小礼物便稳健而有节奏地在地面上散起步来,背上背着一个黑匣子,还吊着一个小瓶子。在场的所有人都震惊了,颤抖像波浪一样席卷了全场……我还看到一名资深议员竟然哭了起来,我想不明白我那勇敢的巴拉伊娜怎么会引起这么大的轰动?事实上它确实正在改写着大树的历史。

这时,议会大厅里响起了一阵阵喝彩,巨大的欢呼声刚刚拂过妈妈的大脑,接着便传到托尼·西尔诺那,又把他涨得通红,然后波及大树的每一片叶子。

但接下来的那个星期真是地狱般的日子。

每天都有二三十甚至四五十人来到我家，排着队等着和我爸爸谈话，我们不好意思让他们老待在屋外，所以请他们到厨房来等。妈妈笑迎百客，而且会呈上几种热饮料，但实际上她很担心她的丈夫，因为他的脸色在一点点地变化。

爸爸不想再说什么，而且不吃不喝，甚至不睡觉。

这五天，他好像是过了三十年，终于在第六天，他闭门谢客，拒绝接见任何一位造访者。妈妈忙着给他打掩护，给了他们一大堆的解释，并且请求他们回家去。他们终于勉强被说服，很不情愿地拖拉着脚步回去了。

我看到妈妈进了爸爸试验室很久都没出来，那时我正忙着用叶绿素浆团制作一只苍蝇，我满手都是糊糊的浆膏，但我希望有一天爸爸能让它飞起来。

几个小时之后，妈妈出来了，一脸的平静，只是简简单单地对我说：

“明天你爸爸会到国民议会上说明一切。”

第二天，议会大厅里的人比上次还要多，比上次还要激动。这一次爸爸允许我们坐在他的旁边，离讲台很近。坐在那里我们可以看到最后面站着一对高大威武身着整齐军装的治安人员；楼厅里挤坐着一层层有头有脸的人物，他们脸上洋溢着喜悦，像是来看一出戏。

所有人都知道我爸爸今天是来解释巴拉伊娜的运动原理的，但其实并没有多少人想真正去弄明白这套复杂的科技演示，许多人来这里可能只想凑凑热闹，但他们确实都想来这里。我知道厅外还有好几百个人，他们因为不能进来只能围坐在树枝上，我们还能看到穹顶上歪着很多脑袋，其中有一个人甚至抓着一根木吊架把整个身子都悬在厅内人群的头顶上，下面的观众一边笑一边向他的悬梁扔糖果，他好像很乐意这样引人注目。

我看到爸爸把他的助理托尼·西尔诺叫到跟前。这一次西尔诺比上次神气多了，因为他和我们一样也坐在爸爸的旁边。这个小矮子穿着一件紧身的衬衣直挺挺地坐在第一排，看起来特别滑稽，不过他肯定很高兴——教授总算没有把他扔得太远。

有人开始为爸爸引言，我记得很清楚，那一刻所有人都对着我和妈妈报以微笑，可这是最后的笑容，是我们住在树梢地区时人们最后一次对我们笑。

托比看着爱丽莎，她也正在冲他笑，幸好在巴斯-布翰希地区还有笑容，这笑容与树梢那的不相上下。

他接着往下说，声音没有丝毫颤抖。

第七章

仇 恨

爸爸坐在会议厅中心位置上，四周的听众都保持着安静的思考状态。妈妈的手冰凉，她一直看着她的丈夫——罗尔奈斯教授，就好像是空气中有什么东西把他们俩连在一起，这东西只有我一个人能看见，像是一道透明的彩虹。

我记得爸爸讲的每一个字，人们原本以为那只不过是一个枯燥的技术性阐释，但听完爸爸的演讲后，我认为在场的所有人都惊讶不已。爸爸的演讲内容简单明了，这是他的一贯作风。

“我相信大家都知道树浆，它不仅是树的元气，也是我们日常生活的核心，有时候我们还能听到它在我们的脚底下微微作响。我们用它来做杯子、碟子，其他家具什么的，我们从中提取糖浆做成棒棒糖，用它来制作胶水、玻璃、玩具、水泥等等，它一直就在树皮层下，我们只需要挖一个小洞就能看到它。小洞不大，也就相当于蚜虫的一顿饭量，对，就是蚜虫，我非常喜欢蚜虫，我要告诉你们一个秘密，我曾经特别想变成一只蚜虫，有几次夜里，我装扮成蚜虫，从家门里跳出来……”

爸爸不好意思地笑起来，这笑声很快感染了一小部分人，接着整个大厅都笑开了，只有肥胖的乔·密西还在继续打呼噜。这个胖子坐在前几排，因为身子太大他一个人坐了两个位子。他的

同党利莫尔和托尔内,坐在他的两边,这两个家伙则在努力忍着不笑。我的爸爸遒劲地做了个手势,大厅立刻又静了下来。

“让我们重新回忆一下以前讲过的东西,以前我们讲过一些有关树浆的知识……既然我是一只碌碌无为的蚜虫,我也只能整天在树皮上啃洞来填饱自己的肚子,但即使是蚜虫,我也还有观察能力,我看到了一些东西,那东西我以前根本不感兴趣也不在意,那就是树浆,从上往下淌……有什么奇怪的呢?昨天它就是这样流的啊,一百年前它也是这样流的啊,要是不出什么意外,明年它还是这样流下去。作为目光短浅的蚜虫,我确实没有再深入思考……”

他往上看了看那位悬在梁上的听众。

“请大家仔细听听下面我要讲的内容,请看看我的逻辑推理。如果头上那位先生从梁上掉落下来,如果所有悬在天花板上的人都掉下来,如果所有人都从楼座上跳下去,就会发生竖直向下运动,一种从高处往低处下降的运动,这跟树浆的运动一样,甚至包括一些优美的动作，比如那位带着阳伞的小姑娘也往下跳的话……”

那位坐在第三排的小姑娘的脸一下子红了起来，有几个年轻的小伙子竟然吹起了口哨，爸爸对妈妈笑了笑。

“因此，在一段时间里，你们都在做向下运动，但是一两个小时过后，所有的人都堆在会议厅的地板上，没有人可以再从上面掉下来了，我们所做的运动就只能暂时停止了。但是，树浆没有停下来，它，永远都不会停下来，它，永远都沿着树干在做向下运动。那么现在我有一个疑问，你们也问问自己看：它是哪里来的？它不可能在树梢凭空产生，那么这些不停地做向下运动的树浆到底是哪里来的呢？”

人们不知道该怎么回答这个问题，只能让沉默来掩盖这一切。

“我也和你们一样，没能立即找出答案。一开始，我以为是树梢上的树叶吸收雨露，然后把它转换成树浆的形式，再流到树根甚至地面，但后来我发现事实正相反，树叶不但没有吸收水分反而是在蒸发水分……可能你们还记得我以前所做的那个关于树的蒸腾作用的演讲……”

我看到了不少人的脸上露出了笑容。我相信大家都记起了爸爸的演示，当时爸爸拿着一只炖锅，在闷闷的响声中模拟着树叶的蒸腾作用。

“到这里我得做个小结：既然它不是从天而降，那么它总得找个什么地方爬上去，然后才能再往下运动，但是它是从哪里爬上去的呢？于是我决定深入树皮层，到树枝中心和主干里面去看个究竟。”

他暂停了一会儿。

“你们知道我从一开始就反对挖掘主干上的那条大隧道，但那时他们已经在施工了。我觉得这项工程很不负责任。但既然它已经存在了，我就到那里去看了看。当我到那里时，人们告诉我工程暂停了，我非常惊讶！没有一个人可以接着干下去，在挖到一定深度时，一大股液体从地里涌了出来，不可能再往深处挖了。那里原本有五十只象虫在工作，为了这项工程，他们特意饲养了这五十只象虫。这些体积庞大的畜牲特别能吃，但自从停工后，它们就再也吃不到树皮树木什么的了，我们也不知道该给他们吃些什么。我们养出这五十只畜牲，但我们却没有办法养活它们！到如今那些可怜的象虫只能被关在笼子里，饥肠辘辘。我很少见到这么恐怖的场面，我实在不忍心再看下去。这个话题到此为止，但我还是得跟大家强调：我们的世界是跟着我们的脑子转的。”

我们听到了一些窃窃私语，大家难以想象有人敢公开批判隧道工程，一看名字就知道了——“经济进步型隧道”。

所有人都把目光聚焦到乔·密西身上，这个胖子不知怎的突然惊醒过来，龇牙咧嘴，揉揉双眼，而他旁边那两个尖嘴猴腮瘦得跟叶子似的家伙正不知所措。乔·密西是个饲养象虫的巨头，近几年里所有的挖掘工程都是他一个人承接的，批判隧道工程，就是在批判乔·密西，而这样是很危险的。

爸爸带着礼貌的微笑向他打了个招呼，然后继续他的演讲：“我戴上了一顶安全帽回到工地，下到被淹没的深度，在那里，我确确实实看到了我希望看到的东西：液体以大个气泡的形式从地里冒出来，对，它是从下往上涌的。我敢肯定这不是水，也不是我们平常认识的树浆。我仔细观察了隧道壁，发现这种液体是在树纤维里做高速上升运动，据我计算，它每秒上升的高度跟我儿子现在的身高差不多，差不多每小时五米。我提取了一些装在小瓶子里，并把它带回了家。”

这一次爸爸停了好长一段时间，台下所有人都张大着嘴巴等着下文。他们已经深陷在树的奇妙中，差不多彻底忘记了巴拉伊娜的存在。

“我回到了家，然后洗了洗手。”

台下有人抗议，他们是想快点知道下文。

“我拥抱了我的妻子，还有我的儿子，托比。”

台下又起了一片抗议声，爸爸似乎对这种不耐烦有些恼火。

“拥抱妻子和儿子是一件非常重要的事情，这不只是单纯的括弧性动作，这是爱，是万事万物的核心。”

台下终于归于安静。这时我挺起了胸膛，并且转了转手中的帽子，爸爸的声音又开始响彻整个大厅。

“然后我又开始忙工作了。我很快就明白了我已经找到了它在下降之前是从哪里上来的，那是木质新生层，我们叫它边材，也就是树心与树皮间新近长成的木层，纯天然的木浆就是在这一层里爬上来的，这一层就是树的生命层，是它所有力量的源泉。再之后这种纯天然的木浆被叶子、空气、阳光转换成另一种形式的树浆，并且沿着树皮层淌下来，但树的原动力还是那上升的天然树浆，也就是我之前在木质层里发现的。”

下面的人似乎明白了不少，至少不再是云里雾里不知道自己身系何处。爸爸接着往下说，每个句子中间都有一些停顿。

“我唯一的目的只是想证明树是活的，它是有生命的，树浆就是它的血液，我们只是它生命中的过客。你们知道我所有的研究都只是为了实现这个目标，在展示树浆无穷力量的同时，我成功地实现了我的这个目标……因此我发明了一个小的机器人，

它就是利用天然树浆做能源来产生动力的，就像树叶一样，这个黑匣子和小瓶子里装的也就是这个，并不是什么其他复杂的、特别的东西。为了制造它，我仅仅是观察了一个花骨朵，一片叶子……然后我把那个美丽的神奇的黑匣子安装在巴拉伊娜的背上，还配了一小桶天然木浆，再把它们跟巴拉伊娜的四个爪子连接起来，巴拉伊娜就开始走路了，这就是全部，就这么简单。”

我在我的凳子上待着没动，但我明显感觉出大家有些失望，罗尔奈斯教授还是没有阐述出他的这项小发明的真正秘密。当时我的一只手跟妈妈的手握在一起，但我发现妈妈的手越来越不安，越来越冰凉，还出了好多冷汗。现在想想，她当时可能就知道接下来要发生什么事情了。爸爸又打开了话匣子：

“这个星期，有好几百人来到我家，大家都来向我介绍我的这项发明的实用性，这些人真的是特别机灵，当然也有个别的确很真诚。他们跟我讨论了许多项目计划，包括如何提高面包制作的效率，如何能运行得更快，如何能加热、制冷，如何能进行机械

切割、挖掘、运输、传递、搅拌，甚至是一些思考程序，巴拉伊娜似乎要改变我们整个的生活。”

人群疯狂地鼓起掌来，对，在他们眼里，巴拉伊娜确实即将改变他们的整个生活，他们已经准备好抛起我爸爸欢呼胜利。

但是爸爸接下来的发言改变了这一切：

“但我唯一烦心的就是：我很喜欢现在的生活，我不想刻意去改变它，我所做的一切仅仅是想证实树是活的，它是有生命的。难道我能把天然木浆托付给大家，然后任凭你们去制造一些可以代替人叠报纸，甚至是代替人思考而不知疲倦的机器人吗？”

大家没有发什么牢骚，但气氛却有点凝重，爸爸的脸色也开始变得苍白，我们猜想他可能要切入正题了。

“我昨天已经跟我夫人谈好了，我决定不公开那黑匣子的秘密。我一直认为天然树浆是属于树的，是树的血液、树的生命，我们没有权利去支配它。如果我们硬是去开发利用它的话，我们的生存环境就会变得极其危险。你们每个人都可以自由去求索我的研究成果，我不阻止任何人去破解巴拉伊娜的秘密，我说过只要认真观察一朵花或者一个花骨朵就能明白其中的原理。至于我，我情愿不再多说什么。这样的话，我想将来有一天，我儿子的儿子还可以吊在一朵花或者一个花骨朵上玩耍。”

我还是待在我的凳子上没动，就像是屁股粘在上面一样。我不是很明白为什么爸爸会说起我的儿子，我哪里有儿子，我这时才刚满七岁，但我想这个小小的谎言——让他们相信我已经有一个儿子，可以帮助别人理解爸爸的解释，就像是之前他在众人面前说自己曾经变成了一只蚜虫，但我从来没有见过他化装成任何昆虫。

对于其他的，我想我是全明白了，而且觉得好极了。这时我带头鼓起掌来，可是台下却鸦雀无声。我立刻发现只有我一个人在拍打着手掌，最后我只能不好意思地把手收回来，重新放到膝盖上。

似乎有什么东西从厅坐的最高处，慢慢地、慢慢地席卷了全场，然后在爸爸的脸上炸开了。

那是油炸果泥糖糕。

接下来的事情我记得不是很清楚了，大家都疯了。有人一边叫一边往台上扔东西，他们侮辱我爸爸，把我也挤到前边去，并且对着我妈妈的耳朵大喊大叫，我记得托尼·西尔诺——我爸爸的助理，不知道在什么时候就离我们远去了。

但是爸爸没有远离我们，他迅速地来到我们面前，用他的长手臂保护着我们，并且拥着我们往出口处走。我没想到坐在最后排的那些长胡子老爷爷们也是如此的没礼貌，他们受了乔·密西手下人的唆使也正冲着我们大喊大叫，那些话可真的不堪入耳，我要不挨上一巴掌是绝对说不出口的。辱骂声一片，许多人跑上来揍我们，拳头像雨点般砸在我们身上。

我开始念叨着，怪罪爸爸不该让大家以为我已经有了一个儿子，要不然事情就不会变成这样了。

当妈妈肩膀上挨了一拳时，爸爸愤怒极了，他摘下了眼镜卷好放在贝雷帽下，然后一边怒吼一边疯狂地舞动着手脚保护我们，我从来没见过爸爸还有如此大的脾气。在罗尔奈斯教授的歇斯底里下，人群退却了，我们成功地逃了出来，回到了乌碧尔。我们关起了门窗并且上了锁，但是已经有人抄袭过我家了，所有的家具被打翻在地，餐具也都碎在地板上。爸爸紧紧地把我们抱在

怀里。

我开口说话了：

“我想这下他们该知道我其实并没有儿子了。”

爸爸止住了眼泪笑了出来。

“总有一天你会有的。我想说的是这个意思，托比，我希望你长大后会有一个儿子或者女儿。”

他看起来十分伤心，所以我不忍心再多说什么。

我们在屋里关了好几天，我妈妈写信向外婆——阿罗哈夫人求助，希望她能在树梢地区某块领地里安置我们几个星期。

外婆在一张漂亮的纸板上写了几行娟秀的字：

很显然，我亲爱的孩子，

在你们处于如此状态时，

有一点可以肯定：

这是不可能的。

纸片上的签名是：拉德贡德·阿罗哈。爸爸以前就常常拿这个姓氏开玩笑，但妈妈却哭了起来。想到我们身上所发生的一切，她不停地重复说：“就快过去了，就快过去了……”

但是事情远没有过去。

只要我们一出家门，就会有人对我们破口大骂或者扔东西；只要我们一开门，就会有各种各样的东西投掷过来，于是我开始在门口收集各种各样腐烂的蘑菇和其他投掷物。

有一天，国民最高议会传召爸爸，他一个人去了，我和妈妈都留在家里。当他回来时，脸惨白得像春天里的一朵云。他是穿着袜子走回来的，精致的灰色上衣上挂满了果皮垃圾。

后来我明白是大树最高议会脱掉了他的鞋子，这是一种最严厉的处分，一般议员们只对罪犯和拐卖小孩的人施以此刑。我爸爸的罪名是“藏匿重要信息罪”，当时我一点也不明白这句话是什么意思。

爸爸告诉妈妈说我们得到很远的地方去。他们没收了我们在乌碧尔的家，作为交换，他们将在奥奈沙划给我们一小块地。当天晚上，我就出去找莱奥·布吕了，从巴拉伊娜事件开始，我们每天都秘密约见一次，就在那个干花苞里，但这一次，我们俩在里面待了两天三夜都没出来。莱奥·布吕是我的好朋友，我们之前就约定彼此永不分离，我不想离开这里，不想离开他，他也一样。但最后，爸爸把我找出来了，当时莱奥死死地抓着我的衣服不肯松手。

这一切变化得如此之快，而从今往后，我们美好的世界也就崩塌了……

爱丽莎听得如此认真，以至于我可以从她的眼神里读出故事的每一个情节。以前她一点也不知道托比家的事情，维戈·托尔奈只是跟她提过罗尔奈斯一家是不得已才安置在这里的，而住在巴斯-布翰希地区最高处的阿塞尔多赫一家人老是不停地说“可怜的罗尔奈斯们”，还时不时带着幸灾乐祸的表情。

“奥尔梅西家给了我们家一条很大的蝗虫腿，要是你今晚愿意留宿我家的话，我们可以把它烤来吃，上面再加点蜜糖。”

对一个正在伤心的小男孩说这种话，听起来似乎有点不得体，甚至很滑稽，但这恰恰能让托比心里好受些。爱丽莎太了解她的托比了，她是如此的了解他，以至于她接着说道：

“我先回去帮助妈妈准备准备，你可以先在这里洗个澡再过去。”

她把手放在托比的头发上，这动作她以前从没做过。

她很快就在丛林中消失了，托比还是待着没动，呈现在他面前的，是他们初次相遇的湖泊。

过了一会儿，他仰浮在水面上，望着上面树枝交错的穹顶，嫩绿的树叶一望无际，每一片都可以供一百个人挡雨。托比感受到了水波在拍打着他的双腿，今天的水似乎有点咸，但从此之后，他不会再哭了。

第八章

尼尔·阿芒

漫漫长夜过后，托比又该面对现实了，他该清醒地把回忆、幸福和灾难区分开。作为一个逃亡者，他还有很长的路要走，他还得穿越整棵大树才能到达巴斯-布翰希地区。

这是他第二次到底层地区去。几年前，他和爸妈，还有那两个啰里巴嗦的搬运工走的也是这条路，但这一次，只有他一个人，而且后面还跟着好几百个猎人，还有几只凶神恶煞的战蚁。从树梢到荒野的树脚，要是一路上不出什么危险状况，而且还有人帮助他的话，他恐怕至少还得走五六个晚上。

托比已经整整赶了两个晚上了，这第三夜也该平静平静了。他之前已经抵达了主干，现在是要顺着地衣林往下走。这一片地区人烟稀少，树皮峰峦起伏，千沟万壑，隘口和峡谷深而险，在那些令人晕眩的悬崖峭壁上成林结片地长满了地衣，而且长得很茂盛，每一株都有他身体的三倍高。

追捕队从别的枝头绕了过去，他们本来就不打算经过这块事故多发地段，但托比走了这条路。越危险的地方可能越安全，所以一路上他看不见追捕队，遇不上战蚁，看到的只是一些木匠的小农舍和其他猎人的小茅屋。

托比路过一个种植园，他知道这种植园也是属于外婆的，尽管外婆是树梢上的元老级人物，但她的领地到处都是，有的甚至位于相当低的枝头。通常她的种植园都是以林场负责人的名字命名，比如眼前这个叫作“阿芒林场”，林场的负责人是个伐木匠，叫阿芒。托比认识他的儿子，小时候他们在一起玩耍过。

在叩响小木门之前，托比犹豫了好长时间，他寻思着他们是否已经知道了追捕他的大规模行动？这棵大树上是否还有一个人能帮帮他？他可以信任这个只跟他共度一个暑假的朋友吗？而且时间已经隔得那么远。

因为实在是饿得发慌，他最终决定鼓起勇气把门敲开。他轻轻地敲了三下，没有人来开门。他又敲了一会儿，屋里还是很安静。

托比推开了门，屋里一片漆黑，但壁炉里还有一些余火，这让托比看清了整间屋子。这是一间简陋普通的小木屋，也就是那个伐木匠和他儿子——尼尔·阿芒住的地方。

这个农场很偏远，托比以前从没来过这，但是，五年前的那个夏天，也就是巴拉伊娜事件发生前的那个暑假，这位伐木匠带着儿子上来到外婆树梢上的一块领地上干活。那是一片苔藓林，他们在林地中间弄了个切割工地，托比也在这林子里度过了整个七月。当年，木匠的孩子和托比一见如故，要不是罗尔奈斯家被迫流放五年的话，他们肯定能再见面的。

托比向桌前走了一步，轻声喊道：

“尼尔……”

因为早就习惯了黑暗，托比很快就看清了屋子里是空的。在桌子左边的椅子上，悬着一个蓝色帆布包，托比把包抓了起来，摸出一大块面包，还有几块干肉片和几片饼干。这回他可没犹

豫，一下就把帆布包斜挎在肩上，消失之前，他用桌上的一张记账簿纸留了张条：

谢谢。

托比

但这几个字已经足以让他再次卷入陷阱中。

大概在他离开几分钟后，四个大人和两个十三四岁的小孩相继进了屋子。

“我只想看看有什么可吃的。”

“快点，尼尔，蠢东西！”

“包是准备好的，爸爸。”

刚刚说话的那个孩子站在桌子旁，他用一根未燃尽的木条点亮了一支蜡烛。尼尔，对，应该就是他，但此时，他却目瞪口呆了。

“包不见了。”

“你肯定你已经准备好了?”

“我是把它挂在椅子上的。”

另外一个人催促他们道：

“我只想要我们需要的东西，你们快点拿出来啊，他们还在等我们呢。”

“但是……我记得明明是放在这里的啊。”尼尔重复着，他没有办法解释清楚。

“算了，算了，白痴!虽然那个小罗尔奈斯估计是不会从这里经过，但我们还是得到林子里去查查看。”

尼尔呆立在椅子旁边，百思不得其解。其他人都已经出去了，他不知道该怎么办，干脆尾随他们一起出去。但走到门口时，他想起没有熄灭蜡烛，于是回到桌子旁，鼓足了一口气准备吹……突然，他停住了。

托比的小字出现在他面前。

他内心忐忑不安了好一会儿，对，是他，是托比，他刚才经过这里了。他应该发出警报吗?只一秒钟的工夫，他脑海里就浮现出朋友托比的面孔，还有他们相处在树梢时的点点滴滴。

毫无疑问，这是尼尔最美好的回忆，最大的乐趣就在于与他交谈，对，仅仅是说话，就这么简单。

但立刻，他想到了他的爸爸，爸爸总是在别人面前叫他“小女人”，因为爸爸认为作为一个伐木工人的儿子，他不应该总是一副软绵绵、萎靡不振的样子。他想到要是他发现了这个逃亡者的踪迹的话，骄傲和荣誉会立即向他涌来，他，尼尔，爸爸眼里如此渺小的尼尔，将成为大树上的英雄人物！

于是，他大喊了一声，爸爸魁梧的身影立刻出现在他面前。爸爸看到了小纸条，但却狠狠地用肘顶了尼尔一下，而且对他怒吼道：

"你不会早点吱声啊，小女人！"

他一大步跨出了房间，然后大声喊道：

"他就在附近！有人看到他了！"空气中弥漫的都是他的声音。

可怜的尼尔蜷缩在墙角，泪珠大颗大颗地滚出眼眶，"对不起……对不起……托比，对不起……"他痛苦地抽泣着，并且用手不断地拍打自己的额头。

一阵风吹过来，蜡烛熄灭了。

托比差不多已经往前赶了一个小时的路程了，但现在所有人都知道这小小的逃亡者正沿着树干轴在逃跑，而他却没有意识到自己的行踪已经被人发现了。

他决定悄悄地横穿北面的山坡，那里的路面又湿又滑，但是巴斯-布翰希地区的生存经验是他很大的一个优势，他完全不用担心那些危险，他可以光着脚丫踩在路面上行走，把鞋拴在裤腰带上，这一招是向爱丽莎学的。

他吃了点干粮，觉得浑身又充满了力量，但他得留出一些做储备。托比心里十分感激尼尔给他提供的这些食物，尽管尼尔根本没想到那是为他准备的。

而此时树上头的尼尔面如土色，但却从失望中重新站起来了。

新组织的追捕队被召集在林场的一块空地上，有人在给他们下达命令。是利莫尔——乔·密西的帮手在讲话：

“在逃的人只有1.5毫米，十三岁，嘴角边有一条疤痕。我们得抓活的，谁要是逮到他就能得到一百万的奖赏。”

这么大一笔悬赏金！这些伐木匠们都互相看了看，他们就是在地衣林里干上一百年也只能挣到这个数目的一半。

“这个叫托比的，他犯什么罪了？”有一个留着短发的伐木匠大胆地问了一句。

“反对大树罪。”利莫尔只是简单地说。

一阵窃窃私语回应了这个答案，没人能够明白这个答案到底说的是什么，但既然他们花这么大的力气，出这么大一笔钱，想必他犯的罪很严重。

伐木匠们两人一组朝着各个方向出发。因为受了悬赏金的刺激，这些平日里在林场上安稳地干活并且和睦相处的木匠们一下子进入了一种暴力的激动中，他们有的扛着斧子，有的拿着长猎矛。

还有一群猎人是来自树梢上的，他们还没有到达地衣林，此时正在路上的一块空地上休息。因为沿途劳累，这些人都睡着了，沉闷的鼾声在好几百个躺直的身体间此起彼伏。

就在这时，该死的托尔内出现了，他是乔·密西的爪牙，就是他负责带领这群猎人去追捕托比。火堆边还有几个人没睡，他们正在安放防护装置。托尔内朝他们走了过去，告诉他们：

“伐木匠们开始行动了。”

“这是真的？”

“对，是真的，有人告诉我了。”托尔内肯定地说。

“他们也在找那个小孩吗？”

“对，他们想趁你们沿途跋涉筋疲力尽停下来休息时把他抓住，然后拿到赏金。那可是一百万哦！你们有没有想过啊？一百万呢！不行，在他们找到之前，我们也得赶到那里去，是男子汉就行动起来吧！”

有一个人同意了他的说法，接着第二个人也响应了他，很快这几个人就达成了一致，金子黄灿灿的光芒照亮了他们疲惫不堪的双眼。

他们迅速在人群中传播这个消息，尽管累得要死，他们还是一个接一个地爬了起来，托尔内胜利了。

两支追捕队之间的战争打响了。

林场伐木匠们因为熟悉地形，便顺势布置了很多陷阱，还破坏了一些必要的通道。上头来的那支追捕队也不甘示弱，因为道路老是被伐木匠们阻断，所以他们只要见到伐木匠，就会命令战蚁去攻击他们。

按理说，在这样一种内战背景下，机灵的小托比应该比任何人都要先到达巴斯-布翰希地区，但是他只能在晚间赶路，而其他人的脚步却几乎没停下来过，所以那些追捕者们还是有可能赶在他前头。尤其是伐木匠，他们的耐力十足，而且早就习惯在林地间奔跑，在树皮山峦间爬上爬下，更何况才刚刚追了一天一夜，都还精力充沛，因此他们有信心先找到托比。

然而，消息在第二个午夜时分传来，这让人何等地惊讶和失落，他们简直不敢相信自己的耳朵：

“追捕结束了！”

“为什么？”

“他们已经抓到他了。”

散布这个消息的人是一个灰眼睛的伐木匠，另外两个人一

个劲儿地追问他：

“谁捉到他的?”

“好像是上面来的人，他们追了三个小时才追到他，那小孩已经累得不行了……”

“他们是怎么发现他的?”

“天黑时，有人发现他在一个树皮峡谷里行走，那时他早就离开地衣林，往前走了很远。差不多走了一整天，他一点也没察觉自己已经被人跟踪上了，一支由四个人组成的先遣突击队翻过山头堵在他的前面，晚上八点时他们便看到了他的身影。”

“他是怎样逃过我们手掌心的?”

“不管怎样，这小孩还是挺厉害的，他让他们狂跑了一阵。”另外一个人笑着说，“换作是我，我才不干呢。那三个小时里，也不知道翻了多少个山头，累得半死。不过最终还是追到了，他们把小孩带到林中一块大空地上，据说他们既兴奋又紧张，生怕到手的猎物再次逃脱，所以用一根绳子绑着他，在地上拖了好几个小时才到那里。那小孩伤得很严重，人们说他身上的皮肤都被拖

烂了。”

“上头指示是说要活捉他，可没说非得让他活力十足啊！”

这句话是尼尔的爸爸边笑边说的，他叫诺兹·阿芒，这是个可怜的伐木匠，小尼尔一出生他就没了妻子，他本身就是个大老粗，之后的生活可想而知。他和小尼尔的日子过得一团糟，他似乎永远都不知道该怎样打理自己和儿子的生活。人们说他很凶煞，事实上这个人高马大、头脑简单的伐木匠更多的是不幸。但他的性格还算开朗，命运的坎坷不足以阻止他跟别人开一些粗鲁的玩笑。他还在狂笑，而且不断重复着说：

“啊哈！这个小罗尔奈斯，他们会把他做成香肠的！”

诺兹·阿芒把斧子扛在肩上，和另外两个同事一同往回走，回到他们说的那块大空地上去看个究竟。据说这个消息传开后，肥乔·密西也要亲临现场，他将要亲手给那四个捉到托比的猎人发放赏金。仪式就在那块空地上举行，离尼尔和诺兹的家不是很远。

这时，不知怎么回事，诺兹开始挂念尼尔了，他心里似乎多了一种莫名其妙的愧疚。

他想到儿子找到托比的小纸条时，自己不该对他发那么大的火，他对儿子太不和蔼，这些都是他边走边意识到的。他把头扭到一边去，为的是不想让他的两个同事看出他眼里蒙上了一层水汽。

他还怀念起他的妻子，那个瘦弱的女人——当把她背在肩上时，他觉得她的身子骨比他的斧头还轻——他不明白她怎么就爱上他了：一个四肢发达，呆头呆脑又嘴笨的伐木匠。

他尤其不明白的是：她死了之后，自己是怎么活下来的。

平生第一次，他对尼尔做了些思考，原来这孩子像他母亲，

是她母亲生命的延续；平生第一次，他想试着用语言去表达父爱。诺兹一向偏爱使用粗鲁的肢体语言，在你背上拍一掌意味着“我很喜欢你”，在你脸上抽一掌则代表着“我不同意”。

平生第一次，他反省到其实自己是在怨恨儿子，他从内心深处责怪儿子克死了自己的妻子。

在去大空地的路上，他心里十分难受，为什么直到今天晚上他才明白儿子是无辜的，他也是这个悲剧的牺牲品？他怎么直到今晚才意识到儿子是妻子的一部分，是她生命的延续？

说了这一切，只是想告诉大家：这个大块头的伐木匠反省了，他要试着去爱自己的儿子，他们毕竟血脉相连，就像是天堂里的一只蜘蛛给他们搭上了一根细腻而神圣的丝线。

更奇怪的是，他感觉到紧张和不安，他的心一直扑通扑通跳个不停，此时，他什么想法也没有了，只想立刻见到自己儿子的面孔。

这一路，要是同行的两个人知道了诺兹·阿芒心里的这些想法，肯定会嘲笑他的，该轮到他们叫他“小女人”了。

在伐木匠的行话里，当一片森林被大肆砍伐时，称为“清光伐场”。但是，拂晓之际，在大树的中层地区，苔藓林的这块空地显然成了世界的灾难地。伐木匠与上头来的追捕者们混杂在一块，他们都想看看那个头号敌人，那个小罗尔奈斯，那个只有十三岁却让他们满世界围着他跑的小罪犯。

大个子诺兹·阿芒挨着空地的边缘靠在一根地衣枝上，他想尽力从人群中把尼尔找出来，并决定跟他好好谈谈，真正像是爸爸与儿子之间的交谈，但他一直都没看到儿子。他在努力组织语言，在想该怎样把父爱表达出来。他可以先说：“你知道，尼尔

……”接下来的话会特别亲密。他又觉得有些别扭，还是不要事先想的好。

众人看到乔·密西出现了，和往常一样，利莫尔和托尔内站在他的两侧。托尔内带来了一只大箱子，想必那里面装着满满的一箱钞票。乔·密西把手放在下腹上，他的肚子大得恐怖，以致他的双臂根本不可能在肚皮上抱上一圈。很少有人像他这样既看不到也摸不着自己的肚脐眼，他能看到的只是那堆积如山的肚囊。

乔·密西懒洋洋地看着正朝着他走近的那一小队人。他们一共四个人，就是他们捉住了托比，并且把他放在袋子里拖过来的。为了领赏，这四个猎人都已经努力打扮过一番了，他们都用水把头发梳得光溜溜的，分出一条可笑的缝，倒向一边的刘海儿盖住一只眼睛。

其中一个人开始跟乔·密西说话，他的声音很洪亮，可以让整个场子上的人都听到。可能因为激动或紧张，他的声音有些发抖。

“伟大的邻居……”

他咳嗽了一下，乔·密西一直要求人们称呼他为“伟大的邻居”。

“伟大的邻居，这个就是我们这几天来一直在追捕的猎物，我只是想请求您原谅，这件物品的状况不是很好……在回来的路上，我们稍微损坏了它……”

人们笑了起来，诺兹还在不安中，但他觉得最好跟大伙一样，所以也笑起来。

乔·密西用嘴唇熄灭了烟头并且含进了嘴里，然后开始像嚼橡皮糖一样咀嚼起来。

这是他的习惯性动作，总有一天，我也要点燃一支烟，学他的样子把烟蒂含在嘴里咀嚼，然后吞下去，过一会后又吐出来，再点燃，再含进去，再咀嚼，再把它吞下去。他做这种事情看起来

很高雅，想必烟蒂的味道美极了。

但这一次，乔·密西没有直接把烟蒂吞下去，而是从嘴皮间吐了出来，用肥得跟香肠一样的手指夹着它去掏耳朵，再把它扔进嘴里，而且好长一段时间也没见他把它吐出来。

另外一个人走上前来想跟乔·密西握握手，估计他是这四个人中的小头头，但乔·密西看都不看他一眼。这个大胖子坐在一个矮小的脚凳上，凳子已经严重变形，人们根本就认不出那硕大无比的屁股下是一条凳子。乖巧的利莫尔站得稍后些，这样的话即使凳子塌了，他老板巨大的身子也不至于把他压扁。

“伟大的邻居，现在我们能为您做点什么呢?”猎人问道。

乔·密西瞟了一眼托尔内和他手臂下的箱子，眼睛拉成了一条线，这是他开始发号施令的方式，托尔内尖着嗓子喊道：

“把包打开。”

四个猎人弯下腰去解开袋子，袋子里面的身影一直在瑟瑟发抖。但猎人们解了一半就停下来了，其中一个人说道：

“我事先就跟您说过，他不再精力充沛，但是，他还有呼吸……”

尽管离得很远，诺兹·阿芒还是一眼就认出了从袋子里露出来的弱小的身子。

那是尼尔。

第九章

火山口

仲秋的清晨,诺兹·阿芒撕心裂肺的喊叫声响彻了整个林地,大家突然间都直起了腰。

诺兹·阿芒疯狂地往空地中心赶,恨不得脚上踏着风火轮。他一个劲儿地拨开挡在路中间的人,他的爱也只能够通过这些粗鲁的动作和心痛的叫喊声表达出来。

“尼——尔——”

大部分在场的伐木工都认识尼尔·阿芒,这是他们同事诺兹·阿芒的孩子,所以他们知道这可能是一场误会,但却酿成了一出悲剧,而且就发生在他们眼前。但其他人并不知道这是怎么回事,他们只是愣愣地看着这个人高马大的男人疯子似的朝着一个浑身是血的小孩跑过去。

至于那四个猎人,他们什么也不明白,这对他们来说兴许是件好事,通常,当有人要被扁成肉酱时,最好不要让他事先知道。

至于乔·密西、利莫尔还有托尔内,他们也都目瞪口呆地傻在那里,眼睛直勾勾地盯着小孩和袋子,不过他们已经认出那小孩不是托比。

诺兹此时已没什么可顾忌的了,他跪在地上,双手捧起了他的孩子尼尔。孩子的眼睛还亮着,而且一直望着他,大颗大颗的

泪珠从他的眼眶里滚了出来，落在孩子伤痕累累的身上。

“尼尔……我的孩子……”

尼尔的脸上挨着嘴角处有一条水平的记号，但跟托比脸上的疤痕不一样，仔细一看，那是一条棕褐色的横线，而且是人为画上去的。诺兹回想起下达命令者的描述：十三岁，脸颊上有道疤痕。对，可能就是因为这道棕褐色的横线，人们把尼尔当成了托比。

“为什么?”诺兹·阿芒颤抖着说，“为什么?”

他站了起来，把尼尔抱在怀里。

“为什么?……”

尼尔微微动了动嘴，似乎想说点什么。诺兹·阿芒俯下身子把耳朵贴近孩子的嘴边，尼尔使出浑身力气从蓝色的嘴皮间吐出一口气：

“为了……托比……”

诺兹·阿芒突然明白过来：尼尔是想救托比，他在自己脸上画了这道记号，让别人以为他就是托比，引开猎人们的注意力，让几千个人不去追托比而是去追他。他在粗糙不平的树皮上被拖了整整三个小时，就为了让托比赢得宝贵的时间，他甚至不惜磨掉自己身上的一大块皮……

除了痛心疾首，诺兹·阿芒还有了一种新的感受，就是这感受让他止住了眼泪和哀叹：

诺兹·阿芒意识到了儿子的勇敢！

眼前这个名副其实的英雄就是他的亲儿子！他没想到儿子这么勇敢，他以前从没正眼看过儿子一眼，从来没用心听过他说的任何话！

对，一位英雄！

诺兹·阿芒站在空地中心，显得特别高大，四周的人群陷入了死一般的寂静中。

一阵微弱的咯嘎声引起了诺兹·阿芒的注意，他转过头来，原来是那四个猎人的咯牙声。伴随这清脆的咯嘎声的，还有一阵阵更软弱无力的声响，那是四个倒霉鬼颤抖着的身子发出来的。

如果诺兹·阿芒和他儿子一样也是个英雄的话，他就应该走到他们旁边愤怒地告诉他们：“这是我的儿子！”然后抱着尼尔回家去。可是诺兹·阿芒只是这位英雄的爸爸，他没有尼尔伟大，没有他慷慨大义，他只想去做一件事。他把尼尔托付给一位朋友，然后直逼着那四个猎人走了过来，死死地盯着他们看。这四个可怜虫瑟瑟发抖缩作一团，为首的那个人牙咯得就像是在打快板，甚至连口水都流出来了，但他还是吐出了几个字：

“我……我想……我们是弄错了。”

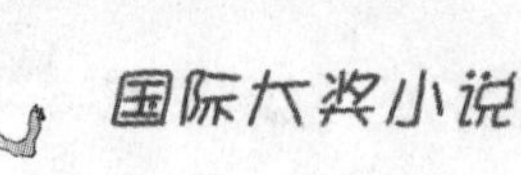

“对，我想也是。”诺兹·阿芒回答说。

接下来的事情人们给了好几种版本的说法：一种是诺兹·阿芒抓着那个为首的猎人，用他的身体把其他三个给撞倒在地，用力之猛以至于那四个猎人几乎都被撞晕；另一种是诺兹·阿芒左右手一边两个像击铙钹一样把他们撞在一块；还有第三种是诺兹·阿芒用一只手把他们四个揪在一块，另一只手准备使劲儿地捶打他们，但诺兹·阿芒的拳头还没来得及砸下来，他们四个就已经瘫倒在地了，像一堆鼻涕虫的粪便。

这三种说法流传了很久，诺兹·阿芒自认为最后一种说法是最好，但实际上第一种才是最真实的。

诺兹·阿芒抱着他的孩子，消失在人群中。

乔·密西的烟蒂过了很久才再次出现在那两片厚厚的嘴唇间，人们甚至看到有那么一会儿，它还在他的鼻孔里出现过。他现在也处于一种模模糊糊、说不清的愤怒中。托尔内已经把那小箱子夹紧在自己的腋窝下。利莫尔上前去踢那瘫倒在地的四个倒霉鬼，他要发泄一下，解解恨，尽管已经无济于事。

关于这空地里发生的一切，乔·密西嘴里只吐出三个字，这三个字他经常说，而且说的时候就像是从他那双下巴下咳出的一口痰：

“我要他。”

从这天上午起，伐木工们决定不再去追捕托比，阿芒已经为此付出了巨大的代价，他们不愿再有更多的伤害发生。

这是极富历史转折意义的一天，这一天被叫作“尼尔·阿芒日”，因为在这一天里，伐木匠们第一次拒绝服从伟大的邻居乔·

密西,他们各自回家干自己的事情去了。

不管尼尔·阿芒能不能活过来,有一点是可以肯定的:就是他改变了树的故事,改变了托比的故事。

最终,尼尔·阿芒活过来了,然而,他的使命还远没有结束。

伐木工们重新在自己的林场里忙了起来,而那些从上头来的猎人们则继续追捕他们的小猎物。在离开林场空地的时候,他们每个人都在思忖着托尔内臂下的那一箱子钞票。钱!对,他们都想得到那笔钱。

也许他们做梦都没想到那箱子里面其实一个子儿都没有。乔·密西,这个奸诈又残暴的家伙,他压根就没想过要赏给别人一分钱,如果真的抓到托比的话,我们就会看到那箱子里其实是一副很恐怖的刑具,它会迫使托比开口说话。

出乎乔·密西意料的是,托比在第四个早上竟然来到了中央移民地,也就是托比自己送上门来了。这是他的地盘,这里大部分的树枝都完全属于他——伟大的邻居,但是托比全然不知这是一块禁地。

乔·密西有一百五十个爪牙替他卖命,还有好几千人因为没有其他的选择,只能尾随他。那一百五十个爪牙无恶不作,算是大树百年不遇的大灾星。要论起他们的荒唐举止和暴戾行迹,这一百五十个强盗抵得上一万个。

乔·密西的领地广袤无疆,因而他的爪牙也遍地都是,托比随时都有撞上他们的危险,或者被象虫踏成肉酱。但是他意识不到这些危险,心里没有恐惧,所以一路上警惕性都不强,不知不觉就来到了一片阴暗的地区上。托比以前从来没走过这条路,所以当他第一次看到这么多树皮都像破布一样倒挂着时,才再次觉得巴斯-布翰希地区才是个真正的天堂，他只要穿过这斑驳灰暗的中层地区就能到达他的天堂了。

突然，身后有动静！托比迅速跳到了路旁，躲在一块剥落的树皮后面。这是他第一次早上6点以后还在赶路，因为只要一想到第二天就能回到奥奈沙，就能回到自己的家，他就忍不住想往前再多走点。他什么都不怕什么也不去顾虑了，但恰恰是这种急躁和渴望置他于危险境地。

他躲在树皮后面一动不动，一队人马像抬丧似的从他眼前经过。

他首先看到的是一只巨大的象虫，这是他第一次看见这么大一只象虫。象虫的全身都被绳子系着，而绳子的另一端则被二十几个戴着帽子的人牵着，这些人的皮大衣背部都印着醒目的JMA字样。

托比认识这几个字母，尽管被流放了五年，他还是知道JMA，也就是乔·密西·阿尔波，这是属于“伟大的邻居”的一个巨型企业。

这二十几个人在不同的方向抓着绳子，互相提醒着：

“别松手啊。”其中一个人嚷道。

“每天晚上都有一只逃出来，不就是大自然里再多出一只嘛……”

“要是他们一数，就会发现少了一只。”

另外一个人低声抱怨着说：“老板养了那么多，以后他连数都数不清了！”

托比明白了，他一不留神来到了乔·密西的养殖场，爸爸多次说过这个地方，所以他决定跟过去看个究竟。这伙人正押着这

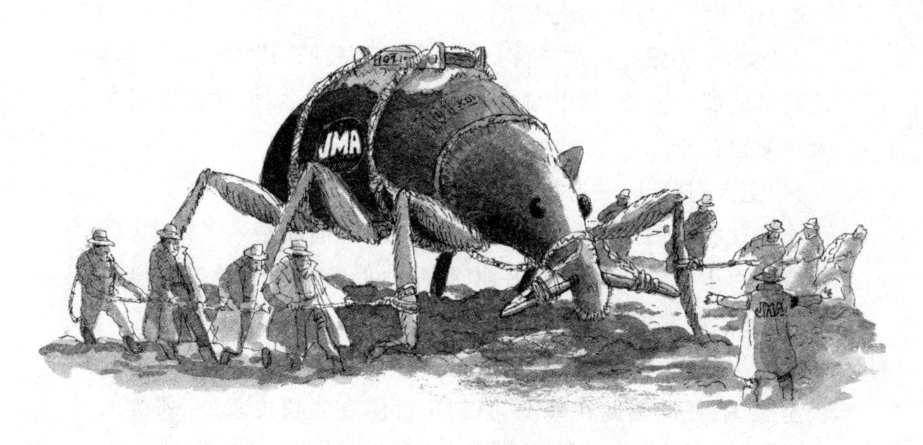

只畜生往围场里走。托比知道象虫一旦逃出来，就会给大树带来巨大的威胁，因为一只象虫每天能啃掉相当于它身体十倍的木头，照这样的速度，用不了多久，整棵大树将会变成一堆木屑。

路上设了一道关卡，差不多把整根树枝都给围堵上，中间有一扇巨大的门。他们停了下来去推门，好让这被捆成红肠似的象虫过去。

托比远远地跟在后面，但他能看清前面的一切。原本他是匍匐在地上的，准备爬着绕半个弯，但就在这时身后又出现了一个人。这人也戴着帽子穿着印有JMA字样的皮大衣。幸好这个人很粗心大意，而且似乎相当激动，他只顾冲着同事大喊大叫而没有发现趴在地上的小托比。

“有一百多个人将路过此地，他们是上头派来追捕一个小孩的，绝对不能让他们撞见逃出去的象虫！”

其中一个牵绳子的人用大拇指托了托帽子，托比一下就把他给认出来了。几个星期前，他们在巴斯-布翰希见过面，想起

这些，托比就浑身起鸡皮疙瘩。

他的个头跟托比差不多，但脸又皱又黄的，让人过目不忘，尤其是他那小脑袋，所以帽子总是会盖到眼睛上。他冲着那些人大声喊道：

“把大门打开，一群没用的家伙！”

托比没有时间多想，他现在进退维谷。前面是这个路卡，后面有成百上千的猎人正在追他，他唯一的希望就是越过这道关卡，不被他们发现然后继续赶路。

中央移民区非常昏暗潮湿，这里的树皮大多腐烂了，常常堆积至膝盖，托比匍匐在地上，只有头部露在烂树皮浆外。那群人正陷在烂木浆里使劲推大门，而头儿“小脑袋”则在不停地嚷叫、辱骂他的手下。

托比很好地利用了这阵骚乱，在烂泥地里迅速前进，径直爬向那只巨大的象虫，这象虫可足有他身子的十倍大。托比一直匍匐着，只把鼻子以上的部位露在外面，等爬到象虫腹下时，才稍稍挺直了身子。他右手紧紧地抓着一根系在象虫肚子上的绳子，两只脚夹着靠后的另外一根绳子。就在这时，门吱吱呀呀地开了，所有人跟着动了起来。

托比系在象虫的腹下，跟着动起来了。

就这样，托比成功地混过了关卡，象虫的腹下也净是烂浆，所以托比贴在上面，很难被发现。那“小脑袋”还在不停地发号施令，并不时地推一推压了半边脸的帽子。

门又吱吱呀呀地关上了。

大概又走了一刻钟后，“小脑袋”大叫了一声：

“停！”

慢慢的，他朝着象虫走了过来，并且命令其他人往后退，然

后把手伸到象虫的腹下，猛一使劲儿把绳子全抽了出来。

这畜生现在可以自由活动了。

然而托比，托比呢？一分钟前，托比松开绳索掉进烂浆里，他可真会把握时机。这会儿他正在一旁看着解放了的象虫往一个山坡上爬，而人群则往另外一个山坡走。

托比一动不动地在烂浆地里待着，时近中午，一股不可抗拒的气味飘进了他的鼻孔。

这小小的逃犯开始后悔了，后悔来到这个鬼地方。几个小时前，他以为离目的地很近了，但如今他却困在这烂浆地里，出口有关卡还有倒钩，他怎样才能脱身呢？

摆在他面前有两条路：一条是被人抓住，另一条是被象虫抓住，他选择了后者，所以往象虫爬的方向走去。几个小时之后，他发现自己的选择是正确的，至少没让他失望。

托比的眼前出现了一些场景，这场景可以说象征着世界末日的来临，象征着前所未有的灾难将要发生。

托比在一个宏伟巨大的洞口前停了下来，这是这根树枝上的一个火山口，看起来好像还是个活火山，它有时候波澜起伏，有时候乱窜乱动，一眼望上去就像是一团恶浊的东西在沸腾。有一支象虫队在翻拱刚长出来的嫩木层，它们的脚都陷在烂浆地里，但这阻碍不了它们的破坏活动，它们背部都有一块红铁牌，上边印着乔·密西·阿尔波的缩写“JMA”。

这几年来，乔·密西·阿尔波集团开发了好几座城市，宣称要把整棵大树从人口膨胀中解救出来。但由于人力远远不够，他们饲养了几百只象虫，想必那些象虫都是来自这个养殖场。

托比之前就见过这种场面，爸爸在一篇文章里描述过，但当

他亲眼目睹时，还是无法克制心中的震惊。

桑·罗尔奈斯很久以前就很详细地预言过这种毁灭情况的发生，八年前在他出版的一本书里有一篇文章叫作《蚕食世界》，上面就描述了这个火山口，之后在《辉煌与蚕食》中也讲述过。但在这两篇文章发表之后，乔·密西就向最高国民议会提交了一个法律草案，他声称为了维护和尊重大树的自然生态法规，应该禁止发表文章、书籍和报纸，但实际上他是想通过法律手段，一次性让所有的罗尔奈斯教授们闭嘴。幸好，这项提案并没有被通过。

托比在这恐怖的全景图前呆立了很久，他知道这种大规模的破坏对于整棵大树来说是一个致命的打击。住在巴斯-布翰希地区的五年没有荒废，父亲教了他许多理论知识。父亲一直是一个知识泰斗，只要简单分析一下温度曲线图，就能得知夏季升温全球变暖，他因此忧心忡忡。但托比倒是满心欢喜，他喜欢夏季更长、阳光更充裕。

“任何事物都不会无缘无故发生变化。”桑总是这样念叨着，这句话是他的金科玉律。

他解释说这种气温变化是由顶端树叶层出现空洞形成的。

他们住的地方离树梢有二十多米远，但对他们来说，这是相当遥远的距离，即便如此，罗尔奈斯教授也能够逻辑推理出气温变化的原因出在树顶上。

托比回过神来，发现自己饥肠辘辘。他本想继续匍匐前进绕过这个火山口找点什么吃的，但是，突然间他感觉到身子整个贴到了地面上，怎么也动不了。他使劲挣扎了一下，还是无济于事。他以为自己是在潮湿的烂浆地里趴得太久，全身都麻痹了，于是

想把手伸到后腿上按摩几下,以便让它们重新动起来。

就在这时,他摸到了一个硬邦邦的东西,正好压在他的身体上,这东西很硬,是圆的,还带着一丝温热……

他艰难地扭动着脑袋,想弄明白到底是怎么一回事,然后就发现这是一只靴子,是一只靴子把他压在烂浆地里!他动了动胳膊,想挪开这只靴子,但他马上意识到这是一双靴子,旁边还有一只。托比一头栽了下去,整张脸都埋在了烂浆里。

如果有人发现烂浆地里有一双靴子,尤其是听到那咯咯的窃笑声时,这人至少可以肯定靴子是穿在某人脚上的。

发现这靴子和笑声之后,托比又听到了一个声音,这声音他很熟悉,就是那个一直嚷嚷着指挥手下的令人作呕的“小脑袋”!

“哈哈,我的孩子!你们现在看到了吗?”

这一次,托比是死定了。

托比一头栽进烂浆里,他宁愿闷死自己也不愿被乔·密西的爪牙折磨死掉。

第十章

信使

在罗尔奈斯家族流放的这五年里，乔·密西和其同党的势力一直在不断地扩大，然而，这一切，托比和他的父母都无从知晓。在巴斯-布翰希地区，人们几乎与世隔绝，很难知道大树上其他地方的情况。

在这五个年头里，他们一封信都没收着，一张报纸也没看到，所有消息都来自阿塞尔多赫家。

阿塞尔多赫家定居巴斯-布翰希地区已经很久了，这个地区本来就人口稀少，而且大多是最近几年才搬过来的，只有他们家算是这里的原住户。阿塞尔多赫先生就是在这里出生的，他的妻子来自稍高点的地区，但是三个儿子和两个女儿都是在塞多尔农庄[1]长大的，托比对这个农庄很依恋。

塞多尔农庄可以说是巴斯-布翰希的发祥地，这是一栋风格古朴的房子，房间很大而且还是穹顶，这是阿塞尔多赫先生的爷爷亲手挖建出来的。带着寻找新枝的梦想，他孤身一人来到这里，开拓了塞多尔农庄。他对整个世界都充满了敌意，却在这里找到了自己的小天堂。

---

[1]塞多尔农庄就是阿塞尔多赫家族的家园。

虽然老爷爷已经过世很久了，但他的儿子和媳妇，以及五个孙子都在延续着他的梦想。

这个农庄好极了，应有尽有，阿塞尔多赫先生的目标就是不依赖任何人，他们既不会向别人出售任何东西，也不会从别人手里买进任何东西，但幸好他们还懂得分享快乐。

对于这里，托比是个特殊客人，他可以不请自到，也用不着提前通知，每次人家都好像早就等着他来似的。他的餐具总是和其他几个孩子的一样摆在大桌子上。一起用餐时的气氛妙极了，有人唱歌，有人开玩笑，有人开怀畅饮。阿塞尔多赫先生的两个儿子都有二十多岁了，风华正茂，胃口也特别好，而那两个女孩年纪稍微小一点，她们平时吃得并不多，但每次进餐都穿得特别讲究，就像是参加节日会或者婚宴一样。托比比她们小十岁，但在他眼里，这两位姐姐简直是美貌绝伦而且还很幽默风趣。托比常常跟爱丽莎说起这些，但她似乎并不喜欢这个话题。

在阿塞尔多赫家人眼里，托比就像个孤儿，他们的家就自然而然地成了他的收容所，因此他也亲眼目睹了玛诺——他们家第三个儿子的离开。

玛诺跟他的兄弟姐妹差别很大，不仅在相貌上——他看起来比他的两个哥哥更柔弱，也没有两个妹妹那样活泼大方，热情洋溢。吃饭时他很少说话，也不常笑，似乎觉得饭菜索然无味。

最糟糕的是，他不懂音乐。

在阿塞尔多赫家，谁不懂音乐谁就像是蜗牛家族里一个没有外壳的孩子，音乐是他们生活的另一半。除了玛诺，其他人都唱得特别好，乐器演奏也特别棒，而玛诺，他只知道简单地在自己的膝盖上附和着打拍子。他们曾经想过各种办法，试过用各种乐器诱导他，但最终，这个固执的孩子碰都不愿碰一下。

每到晚上，他常常一个人悄悄地离开屋子，而通常这时他的两个妹妹正在领唱《天使欢乐颂》，其他人则在和声，他们一同组成一支完美的管弦乐队。就连托比也派上了用场，他的任务是敲击沙锤，只需要将两个圆沙锤撞击发出声音就可以了，他被视为塞多尔农庄最优秀的沙锤演奏者，但是玛诺却连这么简单的动作都配合不好。

一天晚上，托比发现阿塞尔多赫先生在屋前跟踪玛诺。

“你这是要上哪去?”阿塞尔多赫问道。

“我也不知道。”玛诺回答着说。

“你怎么了?你不想跟别人一样?”

“不想。”

“你到底怎么了?看看你的兄弟姐妹,他们看起来不幸福吗?”

“不,他们是幸福的。”

“那你可以学他们啊!”

玛诺生气了:“爷爷之所以来到这里开辟塞多尔农庄就是不想跟其他人一样活着……而你现在为什么要求我去跟别人一样呢?”

托比躲在一边听到这位爸爸对儿子说:“你现在连说话都不像是阿塞尔多赫家人了,玛诺,你一点都不像是阿塞尔多赫家人。”

“这我知道。所以爸爸,我现在决定离开这里。”

这位爸爸不再争辩什么,他认为儿子只是想在外面呼吸一下新鲜空气,于是他说道:

“回来别太晚,明天一大早还得采集蜂蜜呢。”

玛诺没有回答,也没有回头,但阿塞尔多赫先生发现了小托比,他对他解释说:“他需要新鲜空气。”

“没错,我想也是。”

一个月后,也就是6月的一个晚上,托比再次来到阿塞尔多赫家,而且是在人家正在进餐时出现的,但他很快便觉察出餐桌上的气氛有点不对劲儿。小女儿米娅起身给他拿了个盘子,她好像没有平时快活。

“对不起,罗尔奈斯先生,我事先没给你准备餐盘。”

阿塞尔多赫家这天的晚餐显得特别的安静,似乎是少了点什么。托比数了数一家人，明白了——缺的就是玛诺，他真的离家出走了。

这就是为什么这家人不像往常一样事先就摆好他这个过客的碟子，因为空空的碟子很容易让他们伤心，让他们想起玛诺。托比只是看着自己的碟子若有所思，动都不动一下食物，阿塞尔多赫先生也注意到了托比的反常。

“玛诺走了，去树上层了，他说要去争取属于自己的机遇。”

阿塞尔多赫夫人接着说：

“我想他在那里会成功的，他天生就不属于塞多尔。我只希望他能给我们写信报平安。”

麦伊和米娅的眼圈红了，她们俩其实长得并不太像，另外两个兄弟也都垂下了眼睛只是看着自己碟子里面的东西。托比心里明白，他们一时半会儿很难接受玛诺的离开。

阿塞尔多赫夫人的愿望实现了。两个月后，他们收到了玛诺的来信。这封信充满了希望，玛诺说他已经找到了一份销售工作，他很受老板赏识，估计很快就会被提拔的。

全家人把这封信看成是天外来音，他们看了一遍又一遍。男人们骨子硬，心不会一下子软下来，但女人们则不然，她们很快就高兴成一团，阿塞尔多赫夫人总是不断重复着说：

“我早就说过，人各有志，每个人都有自己的出路……”

从此以后，收到玛诺来信的那一刻，便成了塞多尔农庄特别开心的时刻，一家人围着桌子坐着，阿塞尔多赫夫人把她的小眼镜架到鼻梁上，开始给大家读信。每一次，她的手都会微微颤抖，但是声音则越来越洪亮。

这些信讲述着他突飞猛进的职业生活:他的老板年岁已高,因此几乎把整个店面都托付给他打理。玛诺在此基础上又开了一家店,并且势头盖过了原来的那家,因此他现在主管着两家大店。他在等待时机回来看他们,而且应该不久了。他有一个大衣柜,里面挂着五十七条领带。阿塞尔多赫们不清楚他到底卖的是什么,也不知道这么多领带有什么用,但是有一点他们都明白了——"每个人都有自己的出路"。

托比经常会把玛诺的故事讲给爸妈听,这是他们唯一的信息渠道,因为他们只能从托比的嘴里,或者说从玛诺的信里获得一些关于树上层的消息。和其他人一样,美娅·罗尔奈斯对阿塞尔多赫家小儿子青云直上的成功经历颇为震惊。

但每当美娅赞叹不已时，桑·罗尔奈斯都会拉长着脸，摆出一副很严峻的表情说：

“不对劲儿啊，你跟我说的这些很蹊跷……但是，你的朋友玛诺没谈点别的？比如树上头的生活状况？他们现在的居住环境如何？”

“他说那里充满机遇，想要成功的人去那里都能成功的，他还说那里的生活节奏很快。”

罗尔奈斯教授很不喜欢快节奏的生活，他依旧在嘟嘟囔囔地发牢骚，不停地跟托比说：

“我总觉得在那上面只有小阿塞尔多赫先生和其他一小部分人是幸福的，其他人则越来越不幸。虽然我什么消息都没有，但是我的直觉不会错的。”

“桑！”美娅大叫了起来，“你就不能往好的方面想想啊！儿子给我们带来的都是一些好消息，你却没完没了地在胡思乱想，板着一张脸，难道你就不能轻松点，快乐点吗？”

“我也很想。”他就说了这几个字，然后转身回到了自己的小书桌前。

一直以来，巴斯-布翰希地区人们的消息全部来自玛诺的信，可是，当有一天，那封信不是玛诺写来的，而是来自大树议会时，我们很难想象他们是何等的惊讶。

这封信是8月初抵达奥奈沙的，收信人是罗尔奈斯，托比对那个送信人印象深刻：他一笑或者一张嘴，就能数出他还有几颗牙了。他的脸黄得跟花粉似的，脑袋特别小，竖在脖子上显得很不协调。这是托比和他爸妈第一次看到乔·密西的爪牙——罗洛克，这人戴的帽子，穿的衣服和靴子上都印着“JMA”。“小脑袋”

把信拿出来递给他们，然后说道：

“我在那边等答复，爷爷。”

这人肯定是在跟桑·罗尔奈斯说话，但他刚才把教授称为爷爷。转身出门之前，他伸手抓起了桌子上的一个小酒瓶——那里面装的是教授最钟爱的核桃酒。五年前，桑·罗尔奈斯来到这里时顺便带了一小瓶核桃酒，他总舍不得喝，仅仅是每顿饭后，对着炉火沉思时才抿上一丁点儿。

托比和他的父母就这样眼睁睁地看着这个“小脑袋”提着核桃酒瓶离开，然后在不远的地方坐下，一小口一小口地呷起来。

“爸爸，那是你的酒。”托比闹着说。

“没关系，儿子，随他去吧，这酒不重要，到处都能买……”

这些年来，他们家没收到过一封信，所以这一次，罗尔奈斯教授把这封信翻来覆去地在手上掂量着，似乎在琢磨从哪里打开会比较合适。

“过来，托比。”美娅喊着儿子，说话间已经把他拉了出来，她要儿子一起分享这份神秘。

桑站定了，背靠着窗户，开始高声朗读：

“尊敬的教授阁下：

就科技复兴领域而言，如果您能够重新融入我们的议会，我们将不胜荣幸。惩罚您过去所犯的错误的日子已经结束，是时候该让大树的科技复苏了，您在乌碧尔的家正等着您回去，还有您议员的身份和地位……”

桑·罗尔奈斯停下来了，他的妻子和儿子正盯着他看，他们正期望从他的脸上读出一种美好，但就在这一刻，罗尔奈斯的表情变得极为复杂，各种各样的思想和感情冲突在一块儿，就像是一本被人遗弃在雨中的书，每一页纸都花了，墨汁混成一片：喜悦、愤怒、悲伤、焦虑、希望、委屈、反抗、耻辱、怜爱和仇恨统统一股脑儿地重叠在他深黑忧郁的眼睛里。

对于美娅和托比，多年来，他们终于可以骄傲一回、自豪一回了，他们俩甚至想跳过去拥抱桑。

但是桑接着读了下去。

“为了确保您不会再次离开，根据伟大的邻居乔·密西先生的最高指示，我们将对您在居委会的工作进行为期一年的监督考查。”

一听到“伟大的邻居乔·密西”，教授本来就复杂的表情上更是多了一阵暴风雨，他的嘴紧紧地闭着，眼睛里放射出来的只有愤怒。

他开始激动起来，大发雷霆，托比不知道这个居委会是什么，其实他的父母也不知道，但看见父亲暴跳如雷，估计这不是什么好东西，他没想到这东西能把父亲气成这样。

乔·密西，对，只有这个名字能把教授气疯。

桑·罗尔奈斯一手把信揉成了一团，一脚把门踢开，大步流星地朝着乔·密西的信使走去。那“小脑袋”此时已经微醉，眼睛也有些迷离，看着罗尔奈斯教授走近，他起身站起来，又推了推帽子，那脑袋看起来真是长得不协调。他把酒瓶拿在手上，一边笑一边晃着一条腿。

“啊哈，爷爷，您已经决定好要带着您的老婆孩子离开这里了？我们现在可以走了？”

“小脑袋”的嘴巴张得很大，而且在咯咯地傻笑。

托比看到父亲把那皱皱巴巴的纸团猛的一下塞进了那人的嘴里，那人还没明白是怎么一回事时，嘴已经被合上了。

他的眼睛瞪得极大，眼珠都快要掉出来了。他在不停地打嗝，不停地发抖，这个可怜的走狗肯定难受极了。他的脸先由花粉黄变成了青绿色，再之后是一系列大树上从未见过的颜色，等到脸白得像是一朵积雨云时，他终于明白自己刚刚是把信团给吞下去了。

桑·罗尔奈斯比他高出一大截，他自然不敢在此时反抗，更何况胃里还有纸团在打转，他只得从地上捡起帽子，灰溜溜地走人。

桑·罗尔奈斯开始发话了：

“很久很久以前，有一种很野蛮的方法，人们为了解决问题，剖开畜生的胃来寻找答案,这叫作占卜,你可以把这种办法讲给你的老板听,你们就可以在肚子里找到答案了……”

“小脑袋”不停地打着嗝,但是还是努力说出了一句话:

“我会报仇的。”

然后他就一瘸一拐地消失了。

托比和父母没有立即回屋,而是继续在门外站着。桑摘下了眼镜,擦了擦脸,托比过去帮父亲把瓶子捡了回来:

“已经空了。”

“这样最好!要不然我一看到就会难受。”

他在门口坐了下来,只听到咔嚓一声响,原来他把眼镜给坐碎了。

托比第一次意识到爸爸有一天会变成老头子,他今年才五十五岁,可是刚才那个家伙竟然叫他“爷爷”,而现在,他坐在门槛上,看起来真的是筋疲力尽了。美娅跑过去抱住了他。

托比转身离开,让他们俩单独相处。他来到了树枝稍远处的一块树皮上,边走边回想刚才那个信使的最后一句话“我会报仇的”。

几个星期以后,托比宁愿死也不愿意被这“小脑袋”踩在靴子下,他的靴子又冷又硬,而且泥浆也开始钻进他的鼻孔和嘴巴。

第十一章

罗洛克

“小脑袋”稍微抬了抬脚，这让托比有一秒钟的工夫探出脑袋透一口气，毕竟窒息是非常难受的，但“小脑袋”接着又把他踩了下去，过一会儿又抬起靴子，就这样不断重复着。中间有那么一会儿，托比似乎听到那人在说话：

“你老爸就是这样对我的……幸好我吞的还不算多……”

“吞……纸团?”托比故意问着，一点也不给他面子。

“小脑袋”急了，再一次狠狠地把他的脸踩了下去。

这一次他足足有一分钟没提起脚让托比呼吸，但托比认为“小脑袋”不会这么轻易就把他弄死，他会想点法子把他折磨得更痛苦些，说不定，那些惩罚方式还可能为他赢取宝贵的时间，因此他心中有了一个奇怪愿望：希望小脑袋更加残忍些。

事实上确实如此。

“小脑袋”把托比拎到一个树皮坡上，在这个山坡上可以俯瞰整个火山口。托比的手脚都被捆得紧紧的，一点动弹的余地都没有。身后的象虫开始三五成群地靠近他们，“小脑袋”抽出一根长鞭，抽打了几下，象虫们便在不远处停了下来。托比看着“小脑袋”的脸，这张脸因为得意而神采奕奕，也因为坏事干尽而丑陋不已。

托比的脸上蒙着一层泥浆,因而看不出表情变化,但实际上他一直很平静。一想到眼前这可恶之人可能会使出更卑鄙、毒辣、龌龊的手段来,他也就多少放心了。这是一种奇怪的逻辑,但至少这期间他不会马上死掉,他还有时间思考,还有机会逃掉,接下来他便期望这该死的家伙早点把那些恐怖凶残的法子想出来,他好早作对策。他会不会把他丢在这群畜生当中?会不会真的就把他的命结束在这片烂地里?

“小脑袋”想到的招数确实恶毒,就像他本人一样。

他从大衣口袋里拿出两颗白色的小胶囊,顷刻间,所有的象虫齐刷刷地把脑袋对准了他。

“我的孩子,看,它们特别喜欢这个,这是浓缩树浆,我们只奖赏给他们当中最勤劳最卖力的。它们在几千里外就能闻出这浓缩树浆的味道,有好几次,我们把它撒在坚硬结实的树结上,它们为了吃上这些树浆抢作一团,把整个木结都给啃掉了。”

他往火山口里扔了一颗,一时间二十几只象虫飞快地抢了过去。在这场争夺战中,一只小象虫和两只母象虫都成了牺牲品。“小脑袋”一边旋转着手中的鞭子一边说:

“我现在手里只有一颗了,我该怎样用它呢?”

托比已经猜出接下来他想干什么,但在实施之前他继续说了下去:

“很简单,我没什么创意,你爸爸怎么对我的,我就照着怎么做……我得让你吞下这颗胶囊,然后我再走开。这些象虫很厉害,哪怕是把这些浓缩树浆埋到树皮层下一分米的地方,它们也能找出来,因此他们很可能从你的肠子里翻出胶囊,而且还会搅动你的嫩肉。我数一百下,然后就把这些象虫放过来。等到你奄奄一息时,我再把你拎到乔·密西那儿,领回我的一百万。哈哈,

这就是我的计划!”

托比很镇定,看着眼前这个狂笑不止的家伙,他厌恶到了极点,但灾难却免不了要在他身上发生了。出于怜悯,“小脑袋”留了点时间让他深呼吸,但托比心里只想着一句话:“小脑袋”,你的问题是如何更残忍,我的问题是怎样才能逃生。

托比平静地呼吸着,脑子一直在正常运转,从这可恶人的口中,他得知有人为他设了一笔悬赏金,而且还足足有一百万。托比心里没什么不高兴的,他没想到自己的身价值一百万。

但现在,他这一百万的身子骨却被扔在地上,扔在一块粗糙的树皮地上,活像是个被捆扎好的包裹,这树皮硬邦邦的,不停地戳着他的背。

戳他的背。

为什么想到这几个字时,他的思维就停止不前了呢?

戳他的背。

三岁时，妈妈就开始教他读书识字。妈妈告诉他文字是战胜黑暗和困难的武士，如果我们选择成为文字的朋友，我们便会得心应手、终身受益。妈妈跟他解释说：文字像人一样，“认识”某个字或者某种言语行为就像是“认识某一个人”，每多认识一个字便多结识了一位朋友，朋友多了路好走。

托比经过不断的努力，终于让文字成了他的朋友，他每天都能看到语言的神奇力量，是它们把他从孤独和郁闷中解救出来，是它们帮着他跟爸爸一起学习，尤其是在与爱丽莎交谈时，它们总能显现出无穷的魅力。

有时候，词语往往能带给我们灵感，带给我们一些好的建议，可它往往只是在脑海中一闪而过，所以我们很难抓住。但是这一次，托比抓住了它，他领会到了这句话暗含的意义：有一块树皮在戳我的背……

脸上泥层很厚，所以很好地掩饰了他的笑容，对，这块树皮既然能戳我的背，那它肯定还能戳点别的……

就那么一小会儿，就在树皮突兀上轻轻地摩擦了几下，绑在托比手上的绳子就断成两截了。

“小脑袋”被兴奋冲昏了头脑，什么也没发现，托比也还没进一步采取措施，但不管怎么说，手自由了，这是一个巨大的进展。他小心翼翼地把手藏好，这期间象虫向前冲了好几回，但每次“小脑袋”的鞭子一抽，它们就都退回去了。这会儿，象虫刚退过一阵，“小脑袋”便朝着托比走了过来，蜥蜴皮似的脸蛋笑开了花，并露出几颗虫牙——他也就只剩下这几颗牙了。他把胶囊拿在手上，俯下身子接近托比——他的战利品。

托比很明白，只要他吞下这颗胶囊，就会有五六百头象虫冲过来撕开他的肚皮。

估计“小脑袋”也想象到了这样的场面，于是放声大笑了起来。因为“小脑袋”凑得很近，也因为嘴巴笑得很开，托比看清楚了里面的状况，那可真叫糟糕透顶，正常人根本没法想象。那张嘴就像是个地狱之门，里面喷出一股股臭鸡蛋的味道。“小脑袋”抓住了托比的腮帮，挤开他的嘴，硬把胶囊从他的牙缝间塞了进去。

象虫们开始卷土重来了，它们一步步在逼近，爪子在正午的日头下闪闪发亮。“小脑袋”已经合上了托比的嘴，估摸着他这会儿已经把胶囊吞下去了，他本可以松手走人，抛下他不管了，但他显然还意犹未尽，所以又凑过来说了一句：

“愿你有个好胃口。”

托比这时已经精疲力竭了，但还是努力地蹦出几个字：

“谢谢，但……你的胶囊……真的很难吃……”

“哦，不，不，我这是对它们说的。”说话时他指了指身后那六七只象虫，它们已经离得很近了。

“小脑袋”成功地实施了自己的闹剧，感到无比的快活和兴奋，他笑得更加恶心了，托比甚至都看到了他的喉咙。

就在“小脑袋”张嘴大笑时，托比用尽全身的力气把胶囊咳了出来，并且飞快地吐进了“小脑袋”肮脏滑稽的嘴巴里，接下来的一幕我们可想而知了：震惊、恐惧、慌成一团。等到明白是自己吞了胶囊时，那可怜的人整个都崩溃了。

“小脑袋”的命运看来真的很悲惨，这是他第二次遭受另一位罗尔奈斯先生的打击……他瘫倒在地上，不停地用拳头捶打地面，想尽力把胶囊咳出来，就像是一个任性发脾气的孩子在泥浆地里打滚，不断地呻吟和哽咽。

托比抓住时机解开身上的绳索，并且在敌人毫无意识的情

况下把他的衣服扒了个精光。此刻,象虫离他们只有几步远,而且是更加咄咄逼人了。托比抽一下鞭子,它们便停下来一会儿,但丝毫不往后退。没有办法,托比只得抓起鞭子,把地上这个可怜的刽子手拖到更远的地方去。

“小脑袋”伸了伸脑袋,逐渐从精神错乱中清醒过来,他首先意识到自己像是被钉子钉在地上一样,接着便看到成群结队的象虫正朝他袭来,他的腮帮不停地颤抖,差不多可以把最后一颗牙给震落下来。然后,他发现身边有一双靴子,抬头一望,觉得这个身影很面熟,好像在哪里见过:个头不高,穿着大衣戴着帽子,帽檐儿垂到眼睛上,遮住了半张脸。他猛然尖叫了一声,声音把那群畜生都给吓住了:这人不是别人,就是他自己!

对,就是他,“小脑袋”。

他情愿相信这只是一个噩梦,只是幻觉而已,可能是树浆胶囊的副作用,这火山口上怎么可能会有两个“小脑袋”呢?

可是,当穿着大衣的“小脑袋”用手指撑了撑帽檐露出两只眼睛时,那个全身赤裸地躺在地上、活像一根肉肠的“小脑袋”不得不接受这个事实:他认得这双眼睛,仇恨、愤怒正在这眼里熊熊燃烧,放射出万丈光芒,直射向他的每一个毛孔。

托比如此打扮,看起来就是乔·密西的人了。可实际上他心里也没底,也在发毛,一想到自己刚从鬼门关里挤了出来就禁不住起一身鸡皮疙瘩,但自己毕竟打了场小小的胜仗,这胜利给了他极大的信心和鼓舞。

“我把鞭子留给你,你身上的绳子绑得不太紧,你可以想法子出来。但我不知道你是愿意待在象虫的大剪刀间还是愿意接受你同伴们的耻笑,不知道你是否有勇气光着身子向他们解释

这一切,向他们承认你其实是个窝囊废。"

托比走了,任凭"小脑袋"在自己的噩梦中挣扎。他在大衣衬里中摸出一块小牌子,由此得知这个家伙叫作罗洛克。要想逃出这个鬼地方的话,他用得上这名字和身份。

托比头也不回地离开了火山口,他准备爬到高一点的枝头上去。他把帽子戴得很低,把脖子也缩进衣领里,为了能更像小脑袋罗洛克,他强迫自己放慢脚步,步子更碎更僵直。

托比很能模仿别人的姿势和神态。

他常常整晚整晚给爸妈表演话剧,乐得他们不行。他只需要弯弯腰,耸耸肩什么的,就能把人物角色模仿得栩栩如生。他最有名的节目是《洗浴中的乔·密西》,他爸妈很震惊这孩子的记忆力如此好,他只是在七岁时见过这个人。

他还演过《珀卢先生和零钱》。珀卢先生是外婆的管家,每年暑假支配着托比的零用钱,桑会事先把一些金币交给他,让他每星期给小托比发放一点。珀卢给钱时特别有趣:先是拿出一小块金币给托比看,但马上把它收回去;然后掏出比上一块少一半的金币,可还是立即把它收回去,就像是弄错了似的,接着再掏出一块更小的;可最终,他什么都不会给,金币全装进自己的口袋里,然后告诉托比说今天没零钱,明天再给他。

托比的精彩表演让桑和美娅笑痛了肚子,而且直到这个时候,桑才意识到儿子每个暑假开支用的金币全部落入了外婆阿罗哈和她管家珀卢先生的口袋里。

有四个人正躺在潮湿的地面上休息,托比-罗洛克起先没注意到他们,等发现时已经没有办法绕开他们了,他只能硬着头皮

走向前。他把手放进了大衣的口袋，把下巴缩进衣领子里。

估计那四人是刚脱了大衣躺下来想睡一会儿，没想到罗洛克的身影突然出现在身后，他们立即跳了起来，紧张得手足无措。

“头儿，对不起……我们仅仅是休息一小会儿……”

“就五分钟……对不起……头儿……”

“头儿……我们真的很抱歉……”第三个人接着说。

托比一声都不能吭，因为一说话就有可能露馅，但老沉默也不是办法，这只会让那四个人越来越紧张不安。托比的手在袋子里摸索着，希望能找出个什么东西救救场。皇天不负有心人，他摸出了一个本子一样的东西，还有一支铅笔。

为了装得更有威信，他拿出小本子，对每个人瞥了一眼后，假装在小本子上做了记录，接着就转身离开了。

他一边走一边看着这个小本子，深深地舒了一口气，刚才为了给自己壮胆，他在本子上把"加油"写了四遍。他顺便再翻翻其他页，发现这小本子上的字迹像是一个五岁小孩写的，歪歪扭扭，而且错误连篇，毫无疑问这就是罗洛克的字迹。只见首页上写着：

维希·罗洛克的检举记录本

再往后翻，我们可以看到这样的一些句子：

*皮耶诺·萨拉吃了两个三**名冶**，他本**因**该只吃一个的，要把他的左**却掉**起来，**掉**他两个**少**时。*

或者还有：

*吉拉·比努没有好好地处**伐像**虫，应该把他自**已**好好处**伐**一下。*

托比很清楚，在乔·密西的世界里，所有人都被一种恐惧驱使着：害怕自己被揭发、被惩罚，于是先去揭发别人；要想自己不被惩罚就得狠狠地惩罚别人。他们用的都是这一套。

大概又走了几分钟，托比感觉好像是被人跟踪了。他用眼角的余光从肩头瞟了过去，发现那四人正亦步亦趋地跟着他。他加快了脚步，那四个人也跟着快了起来。他绕了几个弯，却还是没把那四人甩掉。最后他没办法，索性停下来，直挺挺地立在那里不动，等着他们走过来。他们一个个像是犯了错误的小学生，局促不安，其中一个想主动解释一下：

"头儿，我们仅仅是想休息几分钟，我们请求您的原谅。"

"我们也不想这样，头儿，我们实在太累。"第二个人接着说。

"我们可以揭发别人很多事情，如果这样能弥补的话……"

“普兹他总是往蒂尔克屁股上投掷短箭……”

“但是蒂尔克不敢吱声,因为他把鞭子落在火山口里了……”

“大个子罗·斯本,他弄瞎了象虫的一只眼睛,他本应该好好照顾它……”

托比决定接着往前走,他对这些恶心的检举一点都不感兴趣。但是那四个可怜虫紧跟其后,而且还在不停地述说,不停地献媚:

“我们还可以跟您说点更严重的,头儿……”

“皮鲁和马涅两个还和蒂尔克一起玩球。”

“他们俩对蒂尔克说:你干脆滚成一个球好了,这样行动起来更方便些。”

“蒂尔克,他得把自己所有的饭菜都给布莱特兄弟吃……”

“虽然他很害怕象虫,却不得不替他们兄弟俩值夜班……”

托比一直忍着性子听他们的小报告,但一路走来,他越听越难以忍受。在这一堆乱七八糟的名字中，有一个人的样子渐渐突显出来：蒂尔克！他被同事欺负着，被象虫惊吓着，还不得不整天整夜地看管它们，蒂尔克这个可怜虫！想到这，他突然觉得蒂尔克的命运比自己还要糟糕。尽管素未谋面，但这些告密信息让托比在内心深处与一个叫蒂尔克的人建立了某种联系。

那四个人还在不停地说着，似乎想把他们知道的一切全都揭发出来，但托比已经听不进去了，所有的检举信息都成了耳边风，直到听到“但最坏的是马尔鲁，每到晚上他就出去恐吓周边的农民，他在桶罐堆后面挖了一个洞，他就是通过这个洞钻到围场外面去”。

这句话在托比的脑子里深深地震荡了一下，他停住了脚步，慢慢转过身来，有三个词激起了他极大的兴趣：“洞”、“围场”、“桶罐堆”，另外一个人似乎也不知情，问了一句话，这恰好也是托比想知道的：

“桶罐堆？什么桶罐堆？哪个桶罐堆？”

那人回答说：“就在那边啊……我可以带你们去看看，只要你们别告诉马尔鲁说是我带你们去的，别告诉他说是我让你们别告诉他的，别告诉他说是我……”

托比在他背上拍了一掌，打断了他没完没了的废话，并且把他推到前面带路。他们大步流星朝桶罐堆走去。

他们来到了围栏边，这儿确实堆了几十只大桶，每一只桶上都写着“天然树浆”，托比对此一点都不感到惊讶，但他担心的是乔·密西已经开发存储了更多的树浆。他永远都不会忘记巴拉伊娜背上的那个黑匣子，就是它把这碳氢燃料转换成无穷的能量。

托比拍了一下手，那四个人立即在他面前摆成稍息姿势。为了对他们表示赞赏，托比很温柔地摸了摸他们的耳朵。事实上，他的帽子遮着他的脸，他根本看不到自己在干什么，没准自己摸的是人家的鼻孔或者别的什么地方。

他摆了摆手，示意他们可以散开了，幸好，那四个人还能明白这个手势，他们消失得很快，就像是人间蒸发一样。托比终于解脱了！

托比推开几个大桶后找到了那个洞，并且钻了进去。能扔掉罗洛克的这身打扮，能离开这个鬼地方，能活着逃出来，他不知道有多高兴！

然而就快要逃出这个火坑时，他想到了蒂尔克——这个乔·密西手下灾难深重的可怜虫。他想回去把他从水深火热中拯救出来，这种想法像一支毒箭一样射中了他。

于是，他掉转了头，折回去了。

第十二章

蒂尔克头[1]

蒂尔克坐在箱子上，这箱子是大个子马尔鲁的，马尔鲁吩咐他好好看管箱子，要是有人动它一下的话，他就会被砸个稀巴烂。

这是一个立方体箱子，蒂尔克守着它已经有一个半小时了，但他开始着急起来，因为过不了多久他就得去看象虫，但又不能离开这个箱子，他不知道如何是好。

蒂尔克的大腿上有一片树叶，他在上面写字，这是他写给妈妈的信，也只有这信能够支撑他活下去。他都是用大写字母写信，他希望信不要被其他人撕破，更希望不要被其他人认出来。

看管箱子成为他待在这里的理由。

他就是这样跟他的同事解释的。因为他的同事一个个都跑去了火山口，听说那里发生了一些很不可思议的事情，还嚷嚷着非得要蒂尔克也过去看看，说那场面实在令人难以置信。

蒂尔克相信这是个陷阱，是他们想诱惑他到那边去，他可以肯定是有人故意使坏捉弄他，因此他寸步不离箱子，他怎么可能相信下面的话——一个同事冲着他大喊道：

---

[1]蒂尔克头指的是被嘲笑的对象。

“是头儿，是罗洛克，好像是他赤裸着身子在火山口里，用他的鞭子驱赶着那群象虫，嗨！蒂尔克，你不过去看看吗？大家都要上那儿去……”

他心里很憋气，愤愤不平……不可以总是这样把他当成傻瓜！

他一个人留在大平台上，这平台晚上是当作宿舍用的。那天天气不错，阳光柔和，悲惨的世界里总算还有一点晴朗。

蒂尔克一来这里就被乔·密西的人定好位了：一个敏感、善良、忧郁的小伙子——作为蚂蚁军团的蹂躏品再适合不过了。所谓的蚂蚁军团指的是罗·斯本，马尔鲁，布莱特，皮鲁……这批壮汉是乔·密西钦定招进来的人手，他们仗势欺人、无恶不作，而靠

自己费尽周折才被招募进来的卑微人物则被叫作“蒂尔克头”，就冲这个称呼，所有人都可以理直气壮地指使他们：“蒂尔克，过来给我擦擦鞋……”“蒂尔克，把你的面包给我……”

这些卑微的人必须忘记自己的真实姓名，人们可以永久地称呼他们为蒂尔克。

蒂尔克们没有选择余地，他们必须接受这悲惨的角色，没有人能够幸免于难。蒂尔克的故事其实就是一部长长的血泪史。

上一个蒂尔克在设法逃出围场时被抓了回来，人们不知道后来在他身上到底发生了什么，但是他唯一的亲人——他的小妹，接到了他的失踪声明书，人们可以在上面读出的唯一解释是：在散步时失踪。

但实际上，前一个蒂尔克是死于一场游戏，在游戏中他们逼着他吃掉一整双靴子，他在吃最后一根鞋带时实在是受不了，结果自然是不消化致死。

现存的蒂尔克整天诚惶诚恐，生怕自己也像前任那样被折磨死掉，唯一解救的办法就是尽自己最大的努力做事，对每个人都言听计从，给五十个人洗碗刷盘子，他们要他啃帽子他就啃，但谁也没想过要放过他。他们发过誓要一视同仁，对他要像对其他蒂尔克一样，因此他的灾难越来越深重。

围场里有一种专门对付蒂尔克的游戏活动，叫作“结束蒂尔克”，活动内容是不停地揍蒂尔克，活动的宗旨是把一个个蒂尔克推至生命的极限。两个蒂尔克都是罗洛克亲手了结的，因此他感到无比自豪，到处炫耀，甚至还在那两个牺牲品的帽子上分别刻上了一个十字架。

尽管处处小心，但蒂尔克还是难免要犯错，他唯一的一个小错误就是在火山口那儿弄丢了鞭子，怎么找也找不到。如果有人把这件事告诉了头儿，那么他就死定了，所以他一直躲着罗洛克，见到他就像见到鬼一样。

是福不是祸，是祸躲不过。蒂尔克大老远就看见罗洛克像幽灵一样朝着平台飘过来，这让他一滴滴冷汗顺着脖子直往下淌。幸好罗洛克还没发现他，他趁机扭转身子，弯下腰贴着箱子，希望不要被他认出来。

蒂尔克庆幸刚才自己坚持了立场，没有听信那些同事信口雌黄。说什么罗洛克光着身子出现在火山口，一派胡言！他明明就在这里，就在他的身后，那帽子还遮着半边脸！但为什么他们一个个都跑去火山口了呢，难不成他们又在耍什么恶毒的花招对付他？

蒂尔克伏在箱子上一动不动，甚至把脑袋都缩进肩膀里，但是脚步声越来越近，毫无疑问，那是罗洛克的：

"我在找蒂尔克。"

"我就是。"蒂尔克的回答软弱无力。

蒂尔克知道自己已经大祸临头，接下来的一分钟就像是在播放慢镜头，他磨磨蹭蹭地竖起身子，再慢慢地转过来，要是旁边有一个习惯了围场快生活节奏的人看到的话，他肯定没法相信自己的眼睛——这地方是不允许有这类散漫场面出现的。

蒂尔克慢慢地、慢慢地转过了头。

罗洛克就站在蒂尔克的正对面，帽子压得很低，就快挨着下巴了。蒂尔克浑身发软，但突然间看见这魔鬼往后退，他以为是自己昏了头、看走眼了，于是睁大眼睛：他确实在后退！不知道这魔鬼到底要玩什么花招？

矮个子罗洛克退到一个地方后就停了下来，猛的一把扯下

帽子，天哪！那帽子下不是罗洛克那张黄脸！这面孔这么可爱、这么熟悉，像是一个十三岁左右孩子的，这是……这是……托比，托比·罗尔奈斯！巴斯-布翰希地区的一个小伙子，全世界都在追逐的小逃犯，托比！托比！

蒂尔克站了起来，来到这个鬼地方后，他第一次挺直身子，甚至还张开了双臂。

最不可思议的镜头马上就要出现了，托比一开始也很吃惊，但很快他的脸上笑开了花。

托比冲进了蒂尔克的怀里，大叫着说：

“玛诺，是你吗？是你吗？玛诺？”

蒂尔克把托比抱在怀里，激动、羞愧、委屈，百感交集，不知道该如何表达：“不，托比……那是我……我不再是玛诺……”

因为颠沛流离，两个可怜的孩子已经很久没遇见过朋友、很久没拥抱过朋友了，这次拥抱机会弥足珍贵。他们紧紧地抱着，一直舍不得分开，而且还有一种奇妙的感觉：这简单的动作让他们置身于一个浅蓝色的气泡中，保护着他们不受外界影响。

尽管心理上认为有一种神秘的力量在保护着他们，但现实却很危险，每一秒都可能有人会出现，最后还是托比小心地问道：

“玛诺·阿塞尔多赫，你在这里做什么？你的信……你的信上不是说……”

“对，”玛诺压着嗓门儿说，“我的信……我爸妈看到信后是不是很高兴？”

“不，不可以这样！”托比又大叫了起来，“你是乔·密西的奴隶，是这里面最糟糕的奴隶……你对大家撒了个大谎！”

“托比！他们看到信后不开心吗？”

托比无话可说。玛诺为了取悦家人，自己编纂了一切，但实际上他出来以后四处碰壁，整天在外游荡。为了能吃上一碗边材粗面，他不得不四处乞讨，最后没办法，他只能应征加入乔·密西的部队，这是亡命徒的穷途末路。

可是，他在信上描述的完全是另外一种生活，一种成功的、辉煌灿烂的销售生活——这肯定是他理想的生存方式，他的爸妈、兄长，还有两个可爱的小妹妹都为他的业绩感到骄傲。

"我要带你回家去，玛诺。"

玛诺沉默不语。

"我要带你回去，回到巴斯-布翰希，那里是我们的家，大家看到你都会很高兴的。"

"不，托比，太晚了……别管我了……别跟任何人说起我……忘了我吧。"

托比猛地从他怀里挣脱出来。

"绝不！我绝对不会丢下你不管的！快点，他们要来了，罗洛克会拉响警报的。"

"不。"

"快点，玛诺，他们就要来了，我知道怎么出去。走，跟我走，明天我们就能到达塞多尔了。"

"不，托比，你不知道什么叫耻辱，那比死还难受。"

"不，你胡说！没有什么比死更糟糕的了。"

托比扯着玛诺的手臂，火山口那边已经响起了一阵阵的喧哗，此地不宜久留，但玛诺还是不肯动。托比看到地上有一截短粗木棍。他抓起木头，挥过头顶，然后狠狠地砸在马尔鲁的大箱子上，箱子立刻散架了，玛诺慌得不知所措，他大叫着：

"箱子！"

“我想只有恐惧才能让你行动……”

“这该如何是好?我该怎样向马尔鲁交代?”

“你自己看着办!我走了……再见,玛诺。”

他开始跑起来,但玛诺叫住了他:

“托比,等等!”

托比停了下来,他看到玛诺弯腰拾起木棍,疯狂地砸向地上的碎片,所有的仇恨和委屈顷刻间全涌上了心头,怎么砸都不解恨。地上的碎片已经碎得不能再碎了,但他还在拼命挥动棍子。托比过来按住了他的手臂:

“够了,玛诺,我们得赶紧离开这里。”

身后的叫喊声越来越近,他们俩迅速跑了起来,一口气穿过了地道,在出口处停下来歇一会儿。

“谢谢你,托比。”玛诺小声地说道。

托比已经把大衣解了下来,顺手扔在地上,玛诺也照做了,并且俩人都把帽子扔到了半空中。

“我们回家吧。”托比的想法就这么简单。

是的,他们自由了,回家!

已经有人在追捕托比·罗尔奈斯和失踪的蒂尔克——玛诺·阿塞尔多赫。小部队来到通道口时,却接到命令暂停追捕,说是长官罗洛克要集合所有人马。

五乘十的方阵很快列好,不过里面好像有空当——缺人了。长官罗洛克裹着一件睡袍、光着脚丫站在队伍前面,不过,长官此时的脸不再是黄色,而是透明的,还有点发紫,两片嘴唇发乌发绿,活像苍蝇的屁股。出于对上司的礼貌,人们不得不保持严肃,但从他们扭动着的脸部肌肉来看,这的确很有难度。

人们发现长官罗洛克时,差点没笑死,一小队人用担架把他

抬了出来，送到了宿舍。这一段路可真够折磨人的，他们一直忍俊不禁。罗洛克绝对不会向大伙解释他怎么会赤身裸体躺在畜生群中，但他们明白这事和他的冤家对头——托比脱不了干系。

罗洛克的承受能力和应变能力都极强，他能够穿着睡衣纠集好人马，而不是挖个地洞钻进去，从此不再见人。

面对乔·密西时，他尤其勇敢。乔·密西带着两只黑手——利莫尔和托尔内，出现在平台上。他从林场空地经过这里时，发现他的养殖场一片混乱，这让他狂怒不已。

利莫尔宣告蒂尔克也跟着失踪了，所有人的眼睛便齐刷刷地望向大个子马尔鲁，大家都在等着看他的好戏。此时的马尔鲁羞得满脸通红，忐忑不安地站在队列里。

人们刚刚发现了他那只被砸得稀巴烂的箱子，以前他总是吹嘘说那里面装的是满满的一箱子武器，但从地上的残留物上人们看出那只是一些小孩的玩具：一只陀螺，一些多米诺骨牌，两个泡沫娃娃，还有一张卡片，署名是"妈妈"，上面用花饰粗体字写着"致我一直喜爱玩具的小马尔鲁"。

这有趣的场面让他高大的形象大打折扣，原来他只是一个一直喜爱玩具的小马尔鲁。

杞尔内走上前来，手里拎着一件大衣，并且把他递给乔·密西：

"我们在栅栏后面找到了这个，托比肯定是穿着这件衣服逃跑的，这上面的标签上有一个名字：维希·罗洛克。"

所有人的目光都集中到了罗洛克身上，这个可怜的人儿就像是一块被嚼过的胶糖黏在一件睡袍里。

托尔内走上去质问罗洛克：

"这是你的吗？你怎么解释？"

"我……我……对，这是我的名字……我想……我认为……"

"不，不是。"乔·密西咕哝着说，似乎在想什么问题。

他晃着脑袋走上前来，抓起那件大衣，看了看上面的标签，嘴里一直说"不是"。他只要一转身或者一走动，脸颊上的肉堆便会哗哗作响。

"不，这是我的名字！"罗洛克哽咽着说，"我向您发誓，这绝对是我的名字。"

"不，不。"乔·密西这会儿的声音有点尖。

"可是，伟大的邻居，您是知道的，我是罗洛克……维希·罗洛克，您的养殖场场长。"

乔·密西已经走远了，利莫尔和托尔内也把他扔在一边没有

搭理。

“不要啊！”罗洛克哀声喊道，“我求求你们！求求你们告诉我，我不是罗洛克，那我现在是谁？我是谁？我的名字是什么？”

乔·密西回了一下头，饱嗝声中带出来一个词：

“蒂尔克。”

这个名字就是结果。罗洛克万万没想到，戴上这头衔之后，他很快就被煮了。

第十三章

黑寡妇[1]

乔·密西·阿尔波的养殖场离巴斯-布翰希很近，走几个小时就到了，因此，这些日子玛诺其实离家人并不远，离塞多尔——他的小天堂并不远。可是他却不曾回去，因为他被一堵墙阻隔着，这是世界上最高的墙——羞耻。现在，他跟在托比后面，一步步接近巴斯-布翰希，命运似乎有了转折，他渐渐看到了希望。年轻的向导刚给他上了一课，让他学到了什么叫真正的勇敢，什么叫真正的信任。

此时此刻，玛诺对眼前的这个小男孩另眼相看了，这个像猴子一样在树枝间跳跃旋转的小孩究竟是谁？

玛诺认识那个来自树梢的托比，当年他和他爸妈来到这里白手起家时，他还不到七岁，玛诺是看着他在巴斯-布翰希长大的。这个小孩虽然淘气，但特别机灵，常常在大树间神出鬼没，并且对一切都充满了好奇，第一次来到塞多尔农庄时，他一直睁大眼睛四处张望。

但玛诺还知道另外一个托比——几个星期来，几乎所有人

---

[1]雌蜘蛛有时在交配后会吃掉雄蜘蛛，大部分的雌蜘蛛都过单身生活，因此被称为寡妇。

都在追捕他。

玛诺最近听了些关于罗尔奈斯家族命运的传闻，之前他听说他们已经回到树梢上去了，但他并不清楚他们为什么要回去。接着悲剧便发生了，人们称之为“罗尔奈斯家族的背叛”，罪名为“阴谋逆反”并且是“无法弥补”，一个小小的罗尔奈斯家族，竟然背叛了树上所有的民众！最初他们被判了死刑，但是大树议会的一小队人替这三个罪犯辩护，把死刑降为终身监禁。后来听说托比逃脱了，如果他再次被抓到的话，就会在监狱中跟他的爸妈团聚。似乎每个人都在等着看他们的好戏，甚至想在二审或终审时对他们加刑。事实上，大树议会的权力一点点在丧失，而居委会的势力则在一步步扩大。

有一点可以肯定的是，总有一天，罗尔奈斯家族会被处决。

每次他停下来歇口气时，都会想着自己跟随着的可能是一个危险人物，一个恐怖分子，但每次托比似乎都看出了他的心思，回头望他时，眼神一直很明亮、很清澈。这个十三岁的小孩真不简单，他光着脚丫在树枝间跳着向前跑着，却还能注意到他的每一丝犹疑。一路上，玛诺备受托比的关照：走在前面给他带路，告诉他哪里能走，哪里危险；要是看到水，都会先让玛诺喝个痛快，自己再喝剩下的。

这让玛诺不得不承认：相比起乔·密西和他那臭名远昭的居委会，他应该更相信托比。

三年前，他来到这个树上层地区，因为对自己的认识不够、对社会了解又甚少，他完全迷失了自己，很快就身无分文，不得已才加入了势力日益上升的居委会。

他知道居委会是怎样壮大起来的。最初它只是一些独立的邻里协会，各自管着自己分内的事物，保护各自的居住区。可当大树上的人口日益增长时，为了抵抗外来移民，他们就联合起来，并且很快就得到了乔·密西的支持。那个时候，乔·密西已经是个象虫养殖专业户，可以说是个暴发户，但他只会说些常用的、简单的词汇，多音节词几乎一个都说不出来。经过六个月的培训，他学会了一个比较复杂但具有魔力的词：齐心协力。他每天不断地练习，每次和别人握手时都用上它。

大家都兴奋不已：一位如此成功的人士竟然会整天待在他们身边，跟他们说要“齐心协力”。

玛诺刚到那里不久，也很荣幸地跟他握上了手，事实上，这次握手确实对他造成了不小的影响：他，玛诺，一个新来的饥寒交迫的移民，竟然能握上那只温暖湿热、软绵绵、肉乎乎的大手，这就是面子，这就意味着成功。乔·密西还真有点本事，至少他很会拉拢人心。

随后，乔·密西向邻里协会提交了他的“友好邻里”计划：他建议在每个枝头无偿地挖掘出一些大型的“接待城”，然后把所有的申请者都安置在那里，只向他们收取低额租金，居委会收一半，剩下的一半由开发商——乔·密西·阿尔波公司收取。这一座座新城实际上是一连串的洞眼，像是一块木头被虫蛀了无数个洞，但这样的处置方法却能很好地保护老城区传统的生活环境。

大家都认为这是明智之举，因此提议全票通过，当然，肯定也有不赞同的人，只是这些人没有被邀请来参加大选而已。

为了建造这些城区，乔·密西动用了大批象虫。这时，玛诺也能在工地上打点零工，时不时地吃上一顿饭，或者在某个工地落脚睡上一觉。也就在这个时候，他写信告诉家人说他买了第四十三条领带，而且他的第二个大商场要开张了，每次他在信上都会

TOBIE LOLNESS

JMA HOTEL
JOMITCH ARBOR
JMA
JMA TRANSPORTS
JO MITCH GALLERIE
CHANTIER JO MITCH

草草写道："我的助理在叫我，就此搁笔"等等。但这一切都是假的，如果要实话实说的话，他就应该这样写："今天，为了充饥，我煮掉了我的一小段皮带，这还不算太糟糕。请你们不要忘记我，我很快就会回来的。"

乔·密西的最终计划是针对大树议会的，他要想方设法一步步削弱议会的力量。首先是弄些小小的文字游戏来讽刺挖苦他们，比如他故意把"议—会"读成"庸—费"，后来就有人跟着念"庸费""庸俗会"，或者"一群傻子会"。

当时乔·密西也是议员，但却能如此批判议会，大家便觉得他很勇敢，有人甚至说："乔·密西这是在为人民服务，替人民说话，他这是在冒着生命危险替人民办事。"

最后，乔·密西向议会提交了辞呈，走的时候，他还特意朝老议员罗尔丹身上吐了口痰。有几个白痴竟然对外宣称说乔·密西是他们的英雄——他连一个代表着陈旧权威的九十岁的议员都敢唾弃！

没人再听从大树议会，民众的焦点都集中到了居委会上，乔·密西被加冕成"伟大的邻居"，他统领着所有的邻里协会。当时，每天都有新的法令出炉，最终，"书籍报刊发行禁令"也获准通过。

但很快，玛诺就熟悉了乔·密西的套路，这一切与他在塞多尔、在他家里所学的格格不入，可是他抵挡不住饥饿和恐惧，像所有志愿者一样加入了乔·密西·阿尔波集团。

就这样，玛诺成了他的奴隶，成了卑微恐惧的奴隶。

而近在咫尺的托比、年轻的托比——被围捕，被悬赏，被追逐，看起来却像一只自由的蝴蝶。

夜幕降临了，此处树荫浓密，很难观赏到月亮的阴晴圆缺，但微白的月光仍在，托比摸索着前进。前几个夜晚都是漆黑一片，伸手不见五指，今天这月光能照亮路面，估计月亮又开始圆了，照理也应该圆起来了。然而，令人失望的是，天边突然传来了一声雷鸣，接着一道闪电划破了黑夜，很快月亮就不见了。

托比提了提衣领，身后传来玛诺的声音：

“托比……”

“嗯，玛诺，有什么事吗?”

“你有领带吗?能借我一根领带吗?”

托比以为自己听错了。

“领带?”

“对，一根领带，销售人员都必须打领带，我得让他们看到我是系着领带回家的。”

托比停住了脚步。

“玛诺……”

“我想告诉他们我是特意请几天假回来探亲的，我不想一下子把真相全说出来。”

托比明白过来了，他很平静地说道：

“你还想继续骗他们，是吗?”

“我……嗯……有一天，我会把真相告诉大家的。”

一声轰鸣打断了他们的谈话，暴雨说来就要来了。托比转过身子，面对着玛诺，说道：“你的意思是说我冒着生命危险拯救了一个骗子，而现在我是在帮助这个骗子回家，对不对?”

玛诺解释着：“我这样做绝对不是为了自己好，我只是不想让他们失望、伤心。”

“说得好，玛诺，你的道理对极了!好吧，祝你好运!”

玛诺只顾低头看路，等他再抬起头时，发现托比早就不见了踪影。

“托比……你在前面吗?”

不，托比早就不见了，只一刹那工夫，他就从空气中蒸发了。一片大枯叶从玛诺身边飘过，黑暗中，他已经是孤身一人，他不知道自己身系何处，也不知道自己该何去何从。

“托比，我求求你……回来吧，托比……我求你了……”玛诺喊叫着。然而，只有他自己的声音在黑暗中回荡。

“托比!!!!!!!!!!!!”

风声大作，玛诺要崩溃了，他靠着树枝瘫坐了下去。这时，一滴水从上面落了下来，接着又是一滴，砸在他身边。伴随着雷鸣，雨越下越大。玛诺不知道该怎么办，也不敢起身继续往前走。

我们很难想象，一滴雨对于只有两毫米的人来说意味着什么。雨一直在下，玛诺不敢走动，只是待在原地不停地拧衣服上的水，不停地抽噎。

“托比，回来吧……我把真相都告诉他们，我再也不说谎了……”

一开始，玛诺没听出嗡嗡声正向他接近，但半分钟后，随着一阵嘈杂的声音，他很快就被一群黑压压的蚊子围住了。本来这群蚊子只是想找个地方避雨，但没想到意外地遇到了玛诺这个可怜虫，正好它们也饿了，于是就成群结队地开始攻击玛诺。在大树上，除了几种鸟和几类昆虫，蚊子算得上是最危险的动物了，人只要被它叮上一口，哪怕再健壮，他的血也会立即被吸光。

这一次，围着玛诺的，至少有十五只蚊子。它们全然忘记了狂风暴雨的存在，玛诺身体里面的热血刺激得它们那针尖般的吸血管兴奋不已。

被托比扔在这里，手无寸铁，闪电不停地划破黑暗，可怜的孩子，他意识到此刻自己的生命将终结。蚊子的翅膀把雨点拍打得四处飞散，连那吸血管上也裹上了一小滴。

托比到底去哪了呢？

大雨倾盆而下，但还是驱不散这群该死的蚊子。玛诺不停地号叫，不停地挥舞手脚，尽最大的努力保护自己，但还是差点被叮住，他的衣服和肚皮都被那锋利的针尖划破了。

就在这时，一滴水珠沿着树皮滚了过来，速度很快，起伏间，玛诺似乎看到了托比的红裤腿，聪明的蚊子也意识到了水滴的威胁，纷纷飞得更高了。

“玛诺，抓住我！”

水滴滚过来时，玛诺只看到水中伸出一只手，那只手一把抓住了他，把他也卷入滚落中。就这样，托比跟玛诺顺着树皮斜坡滚了下去，几乎没法呼吸。

再接着，他们感觉悬空了，似乎在做自由落体运动。

因为不知道接下来的命运如何，所以托比赶紧回味他短暂的人生。不管怎样，他觉得自己的人生很精彩，他才十三岁就经历了这么多事情。他想起了阿塞尔多赫一家，想起了爸爸妈妈，他们可能再也听不到他的声音了。

他还想起了爱丽莎。

一个月前，就在他们初次相见的湖边，他跟爱丽莎告别。

她很不喜欢离别的场面。那天，她穿着青绿色的裙子，光着脚丫站在湖水里，水没上她的脚踝，因此她就一直提着裙摆。托比也把裤腿卷到膝盖上，脚边泛起一圈圈涟漪。他们俩谁都不敢正眼看对方，索性都凝视着脚边的涟漪。爱丽莎还是和往常一样，话不多，简洁的几个词、简短的几个句子。

“你要走了?”

“是的，但是我会回来的。”

“这可是你说的……”

“是真的，不骗你，我会回来的，我只是到树梢去看望我外婆，然后我就会回来。”

“我们等着瞧吧。”

“不，你们不用等着瞧，爱丽莎，你不相信我?”

爱丽莎没有回答，她只是撒手放开裙子，任凭湖水一点点浸湿裙子，她甚至还往前迈了一步，但这一次，托比没有跟上去，而是往后退了退，并且模仿蝉叫了起来——这声音是他们的接头暗号。

“当我回来找你时，我就会这样做。如果你发现秋天里还有一只蝉在鸣叫，那就是我。”

爱丽莎的回答很冷淡：“你是知道的，明年夏天，这里将会有许许多多的蝉……但是……不管怎样，生活的路还得继续走下去……”

她常常会用短短的几个词将托比打击一番，这一次她又这样做了，而且每次只要她心里不好受时，都会这样做。

托比不再说什么，只是把一只鲜红的小贝壳留在水面上，然后转身离开了。小贝壳慢慢地向爱丽莎漂去，搁浅在爱丽莎的裙摆上。那裙摆的皱褶漂浮在水面上，形成了一片青绿色的丝滩。爱丽莎把它捡了起来，紧紧地握在手里，却迟迟不回家。

托比把爱丽莎说过的第二句话又想了一遍：“生活的路还得继续走下去……”他重复着这句话，然而身体却在不停地坠落。

暴风雨已经停了，但远处的雷声还在夜空中回荡。

几分钟过后，他觉得像是落在一个气垫上，这种坠落的感觉很舒服。如果这一切都是真的，那么，是不是已经进了天堂，生命就此完结了？

“托比……”

哈哈，竟然还有一个同伴！极大的惊喜啊……

“托比……你听得到吗？是我啊，我是玛诺。”

“我听到了，你也在坠落啊？”

“不，我想我们已经停止坠落了，但我什么也看不到，什么也摸不着。”

托比动了动手，感觉到身子好像是被什么东西控制住了。不远处的玛诺也开始动了，嘴里还不停地嘀咕：“这到底是怎么一回事啊？”

就在这时，托比明白了，他大叫了一声：

“别动，玛诺，千万别动。”

玛诺愣住了，“怎么了？这到底是怎么回事？”

“别动，一个脚指头都不要动。”

玛诺被吓得连话也不敢讲了。

“我们现在是被一张蜘蛛网粘着，我们落在了这张蜘蛛网上。”

玛诺和托比被这张蜘蛛网截住了，是这张蜘蛛网救了他们的命。可是如果在蜘蛛到来之前他们不赶紧设法脱身的话，这张网也将成为他们的坟墓。

任何一个动作都可能将他们缠结得更紧，任何一次振动都意味着在提示蜘蛛——黑寡妇！她采购食物的网兜里已经有了两块牛排。

托比极力保持头脑冷静，尽自己最大的努力去分析目前的

状况。他很了解蜘蛛，他知道如何识别这黑寡妇的诡计。爸爸桑·罗尔奈斯的博士论文主题对象就是节肢动物门类，其中有三章是专门描述黑寡妇的，这是一种能置人于死地的节肢动物。

通过努力研究，桑鼓励在大树上广泛使用蜘蛛网丝，因为这种丝线比任何植物藤络都要轻便、纤细、结实耐用。

但是托比也非常清楚，一旦猎物在黑寡妇布置的陷阱上被捕获，它的生命最多就只有几分钟了。

托比拉上一根丝线，把它缠在拳头上。他必须挽好几根丝线，但同时又不破坏支撑他们的网线结构。他一边挽线一边告诉玛诺该怎么做："把你周围的丝线一根根扯断……只留下几根系住你的身体。"

玛诺照做了，逃出来的时候，他身上一直带着一把JMA的小刀。

托比成功地缠上了一大把丝线，因此四周的网眼都变得很稀疏。他把线头从手上解开，一把系在其中一个网眼上。

几秒钟过后，他从网眼中穿了过去，并且可以顺着网线往下滑动了，他听到玛诺在上面叫他：

“托比，我差不多把线都割断了。”

“嗯，好，我在你下面。当我要你跳时，你什么也别管，只管往下跳，一秒都不能耽搁。我一喊，你就得撒手。”

“我们会掉进深渊的！”

“照我说的做就行了，我会抓住你的，只要我一喊你就跳。”

“我不敢。”

“不，玛诺，你敢，你能行的。”

“我害怕。”

“没错，这是个真正能让你害怕的理由，不过，你必须跳，准备好了吗？”

托比开始在线的另一端保持身体平衡，每隔两秒，他都要从玛诺的身体下面经过，就像是一个钟摆，他在计算着时间，看什么时候喊能抓住跌落中的玛诺。

这时，玛诺感觉到身后有一个黑影在靠近，这是很反常的，因为他知道没人能在这蜘蛛网线上行动自如且不发出任何声响，谁都不可能有这么娴熟的空中技巧，谁都不可以……除非……

黑寡妇！就在他们身后！

这时，玛诺听到了托比的喊叫，他来不及多想，纵身跳了下去。

第十四章

塞多尔农庄

这是一个普通的清晨，塞多尔农庄并没有什么异样。

米娅和麦伊起了个大早，夜里她们也听到了轰隆隆的雷声。为了不吵醒两位哥哥，她们的动作很轻盈，尽量不制造出任何声响。她们知道，因为要贮存过冬的食物，昨天两位哥哥帮着爸爸忙了大半夜，把长在农庄边缘的蘑菇制成了上百盒罐头。

每逢雨后，她们都要去“女士池”洗浴。“女士池”这个名字是爷爷取的，本来只是树皮上一个光溜溜的小横沟，但它能把清澈透明的雨水一点一滴地积聚起来，形成一个浴池，并且专供阿塞尔多赫家族的女性使用。

米娅在池中用一块海绵擦拭着身子，“再过一个月就会很冷了，我现在得抓住机会好好洗几回。”

“我想玛诺在树梢上的家里应该有一个很舒服的浴室。”麦伊接着说。

“对，可能还有仆人给他搓背，不断地给他淋温水。”

这是她们喜欢的游戏——猜想哥哥玛诺的生活。

诚实谦虚是阿塞尔多赫家族的传统美德，既然玛诺的信写得如此激动人心，那他的实际情况可能更加出色。他在信上说他有两栋房子，没准他有四栋；他说他有一百双鞋子，没准他至少

也有一千双。

“遗憾的是我们没法给他回信,他从不给我们留地址。”姐姐麦伊接着说。

“我倒不在乎这个,我喜欢把哥哥的故事讲给莱克斯听。”

莱克斯是奥尔梅西家的独生子,他们家离阿塞尔多赫家不是很远。要知道巴斯-布翰希地区本来就人烟稀少,要有那么一户邻居还真不容易。

莱克斯一直关注着玛诺的故事,他现在雄心勃勃地也想到树梢上去做销售,跟玛诺一样闯出一番自己的事业,当然,他也很想带着阿塞尔多赫家的小女儿米娅一起走。

莱克斯和米娅相爱已经有一年半了,不过,他们也仅仅是发展到牵着手散散步这一层而已,但这已经足以让两个热恋中的年轻人神魂颠倒了。爱上莱克斯太容易了,他那迷人的眼神散发出无穷的魅力,让人无法抗拒。同样,莱克斯也被米娅深深吸引着,这个美丽的姑娘有着白里透红的脸蛋,白皙的手指如松散的云。他们郎才女貌,天生一对,他们的爱很美妙、很清纯。

莱克斯没有跟他的爸妈提及他和米娅的爱情故事,也没有告诉他们自己的旅行计划和对未来的打算。在爸妈眼里,莱克斯是个乖孩子,他们还指望着他能继承这家族的小企业——树叶磨坊。他们家用树叶作为原料,生产出细致白嫩的面粉,远近闻名。

“玛诺哥哥可能会把地址告诉爸妈。”

“我想也是。”麦伊回答着,似乎若有所思。

这时米娅开始打量自己的姐姐,麦伊和她一样,也是个光彩照人的美人儿。“爱情这东西真的很奇怪,为什么是我而不是你爱上莱克斯呢?两个人之间就像是触电一样,我和莱克斯,莱克斯和我，似乎其他人都不存在了，世界上就只剩下我们俩。”

“对，你说的没错。”麦伊不敢多说，她太了解妹妹所说的一切了，因为麦伊也爱着莱克斯。五年前她就爱上了莱克斯，却从来没有勇气告诉任何人，尤其是不敢告诉米娅和莱克斯，她不知道该怎样说出口。

米娅在水池里一边洗，一边开始滔滔不绝地讲述她和莱克斯的故事，可能她认为麦伊不怎么相信莱克斯非常温柔、非常善良、非常健壮，还有……所以她要极力让她相信这一切。但是麦伊，可怜的麦伊，她比谁都了解莱克斯，她比谁都知道这一切，因为她为了他失眠了整整五年。她的心里很难受，不想继续这个话题，于是大声说了一句：

“等玛诺哥哥回来时，我想我们大家可能都认不出他来了。”

“嗯，很可能会这样。”米娅应答着，她还沉醉在自己的梦境中。

时值十月初，天已经转凉了，甚至有点冷，她们俩洗好之后赶紧擦干身子，披着蓝色的浴巾跑回屋子，一路都在哆嗦。她们俩同时进了屋，进了那间穹顶大客厅。但一踏进房门，她们俩都呆住了。

家里所有人都起来了，但都僵在原地不动，像是版画中的人物。

妈妈提着冒着热气的开水壶站着，身后是斜靠着墙壁立着的两位大哥哥，爸爸则背光站在窗户前，高大的身子投影在地面上。

坐在壁炉板上还有一个人，蜷缩在一床被子里，手里端着一碗草药汤，升腾的热气模糊了他的面孔。

“是我，我是玛诺。”

一开始她俩都往后退了退，屋内一片沉默。米娅打破了僵局，她走近了玛诺：

“你是玛诺哥哥？”

“是的，是我……请原谅。”

阿塞尔多赫夫人认真地收藏了儿子玛诺的每一封来信，厚厚的一沓放在一个大信册里。大信册就放在窗子下面的木板上，封面上写着《玛诺在树梢》，像是本小说的名字。然而，真实的作者就在眼前——身无分文、破败不堪、在被子里蜷作一团，像所有命运不济、平庸的作者一样，他创造了小说主人公精彩辉煌的人生。

阿塞尔多赫先生开始讲话了：

“玛诺对我们撒了谎，这些年来他一直在欺骗自己，欺骗我们，他没有做出一个正确的选择，或者可以说他只选对了一件事：回家，回到我们身边。这个决定虽然抹不去他过去所犯的错误，但却能让他重新做人，从头再来。”

玛诺此时已经放下了碗，头深深地埋在手臂里。对，他回来了，这才是最关键的，生活的路可以重新开始，一切都可以从头再来。但是阿塞尔多赫先生接着说了下去，声音沉着严肃：

“我希望有一天玛诺会再次离开我们。”

所有人都呆住了，大家都把目光转移到阿塞尔多赫先生——这一家之主的身上。

“我希望玛诺真的能实现自己的理想，他的理想不是跟我们在一起生活。”

“是的，父亲……”玛诺抽噎道，声音很低很轻。

阿塞尔多赫先生一把抓起信册扔进火堆里，然后尽力让自

已平静下来。火苗越蹿越高，越烧越旺，也就是在这时，米娅和麦伊最终发现了另一个熟悉的面孔——托比，他坐在另一个黑暗的角落里，旁边堆着一个面包箱。

"托比！"麦伊叫起来，"是你在那吗？"

"是他把玛诺带回家的。"阿塞尔多赫夫人说道。

阿塞尔多赫先生接着说："目前，玛诺和托比的处境都很危险，许多人在追捕他们，得先把他们藏起来。等到这一切结束之后，玛诺再离开我们出去闯荡。"

"先藏好你们的儿子吧,我没有关系,我自有办法。"托比说道,"塞多尔农场不能同时藏匿两名逃犯,这对你们家来说太危险了。"

麦伊大叫了起来:"可我们不能不顾托比啊……"

米娅不敢吭声,她先是看了看玛诺,再接着盯上了那跳动着的火焰,她没想到她的美梦这么快就结束了,还有莱克斯——她心爱的人,他们共同的梦想都在这一刻破碎了。

米洛,她们的长兄,说话了:"看看人家托比,不管怎么样,他从没有对我们撒过谎。"

托比沉默了一小会儿,接着说道:"你们的兄弟玛诺很勇敢,他破坏了乔·密西的武器设备,要是被抓到的话肯定会被处死。是我逼着他离开了自己的岗位,我希望你们能好好照顾他。"

又是一阵沉默。信册差不多已经燃尽,这时玛诺听到了父亲的声音再次响起:"炉膛后面有一块正方形的门板。打开门板,里面是一间装着通风管的小屋子,你们可以在里面藏上好几星期,但屋子太小只能藏住一个人。"

玛诺哽咽着说:"让托比藏进去吧。"

"不,"托比低声说道,"我只是想在这里休息一晚上,明天我就回奥奈沙,那是我自己的家。"

米洛从阴影处走了出来,"我可以载你到奥尔梅西家去,他们家不远,一个小时就到了,你可以在那里待上一天一夜,没人会去那里找你。"

一听到奥尔梅西这个名字,米娅就开始全身起鸡皮疙瘩,但爸爸好像很犹豫,"我不知道该不该把奥尔梅西家也卷进来,我很爱他们,但是……"

"爸爸,"米洛打断了他,"如果他们一直在搜寻玛诺跟托比的话，那么明天一大早他们肯定就会光顾我们家，我们必须马上行动。奥尔梅西家有一个地窖，是用来贮存树叶面粉的，托比可以在那里睡上一整夜。”

托比站了起来，“我就去那吧，对于奥尔梅西家，我不是很熟悉，但既然你们认为他们值得信赖的话……米洛，谢谢你的好意。”他转过头对着阿塞尔多赫家的这位大哥哥说：“我想还是我独自去比较好，还有，我不想让他们知道玛诺也回来了。”

米娅瘫坐在凳子上，松了口气：托比不会对莱克斯·奥尔梅西谈及玛诺回来的事情，这样的话她可以以后再跟莱克斯解释清楚。

米娅用一块桌布包了几块面包、几卷蚱蜢肉肠和一些糖果、小糕点。托比背上了小包袱，向他们一一告别。当走到玛诺跟前时，他低声对他说：“不要忘记你曾经许下的诺言。”

他把玛诺的双手紧紧握在自己的手中，然后推开门走出去了。

阿塞尔多赫一家子全围在窗口看着他的背影消失在路的尽头。

玛诺之前向托比许诺过，他们额头贴着额头起誓，这是一项基本仪式。这诺言是他从蜘蛛网上坠落后许下的，当时他以为自己真的就要死了，但就在经过托比的那一刹那，托比抓住了他的手。他们都活着，一上一下地悬系在托比抓着的那根丝线上，再然后，他们顺着丝线一点点降落。几分钟过后，玛诺发话了：

“嘿，托比，我们到头了。”

“好极了，爬到树枝上去。”

“可是……”

"动作迅速点!"

"……这儿根本就没什么树枝啊!……"

是的,这根丝线不够长,下面的树枝太矮,这中间还有一大段高度,怎么办?如果撒手的话,肯定会坠落深渊,粉身碎骨。但是如果再爬上去的话,毫无疑问,黑蜘蛛正在那等着她的牛排自投罗网。

时间一分一秒地过去,他们在半空中悬了一会儿,体力就开始不支了。这时托比说:

"当我们面临巨大危险时,诺言常常能解救我们。希望越渺茫,诺言就应该更认真更严肃……"

"我,要是我还能活着……"玛诺犹豫了一会儿,他在想是什么在改变他,"要是我还能活着走出去,我将不再是以前的我。"

他爬到托比的高度,这样他们的额头就能贴到一块儿了。玛诺瞪着眼睛对着托比认真地起誓:

"要是我还能活着,我一定什么都不怕了……我要成为一个勇敢的人,一个勇……啊——!"

他惊叫了起来,正对着他的,是黑寡妇那凹陷着的吸盘,黑暗中她的眼睛闪着咄咄逼人的寒光,正准备一口把他们俩都吸进去。

估计这个黑寡妇也是饿坏了,她就没打算要放过这两个可怜的孩子。她也跳出了她的罗网,一边吐丝一边追到他们跟前,而她的爪子足足比托比的大腿大五十倍。

是玛诺先进行反击的:"托比,你上去,我来对付她!"他掏出了刀子,不停地挥舞着画圈,就像是风车转动的翼。

"不,我要留下来跟你一起!"

他们像荡秋千一样晃着,刀子一直在转动,黑寡妇想必也知道了这道快餐可不是像嚼饼干那样没有任何风险。当玛诺的刀子快要挨上她的爪子时,她便立即缩回去,但紧接着又像利剑一样扫出来。

因为挂在嘴边的美餐迟迟进不了口,这只巨大的、浑身长毛的蜘蛛显得越来越急躁。

交战双方力量悬殊实在太大,黑寡妇的爪子拍扫得更厉害了,恨不得立即把他们俩打昏,杀死他们,再用吸盘一口把他们吸进去。

“喂!玛诺,刚才你许了什么诺言?”托比大叫着。

“要勇敢!”

玛诺此时正挥舞着手中的刀子,托比确实看到了他坚定的眼神:“对,是时候实现你的诺言了!玛诺。”

黑蜘蛛的一只爪子狠狠地抽了一下他们抓着的那根丝线，一阵猛烈的晃动，他们至少下落了一毫米，接着又是一阵，又下落了不少。看来黑寡妇有了进一步的想法，得不到的干脆毁灭掉。

“玛诺，动作要快，要迅速，但要抓紧我们的这根线。”

然而，这根丝线在不停地摇晃、不停地往下掉落，托比知道，再这样下去，黑寡妇的网迟早会被他们的这根线拉出一个大窟窿，并且迅速散开，就像我们拆毛衣一样。但是黑蜘蛛却没意识到，还在不停地拍打，不过眼睁睁看着猎物离自己越来越远，她也不想再去捞什么了，看来她也精疲力竭了。

最终，他们抓着的这根线像绕线团一样不停地打转，托比和玛诺都没办法抵抗这种眩晕，纷纷坠入深渊，而黑寡妇则在自己的网变成破洞之前及时地爬回去了。

他们奇迹般地被一片叶子接住了，反弹了一下，然后一动不动地躺在上面。黑暗中玛诺认出了托比，“我们现在是在哪?”

托比眯起眼睛想看个清楚，但苔藓湿嫩、鲜美的气味刺激了他的鼻孔，他兴奋地大叫了起来：

“我们到了，我们回到巴斯-布翰希了。”

一个小时以后，他们来到了塞多尔农庄。

离开了塞多尔，托比抓紧时间赶路，他要到奥尔梅西磨坊去。沿途熟悉的风景让他忘却了一切烦恼和疲惫，路上的蚜虫一看到他就四处逃窜，还有一只正在产卵的苍蝇也被他撵走了。他张开双臂奔跑着，尽情享受家乡的气息。这几个星期以来，他常常以为自己再也回不来了呢，而现在，他又可以在藤络间爬上滑下，又能看到那些郁郁葱葱的山丘和清澈的小溪了。

终于，他可以放下心来想念爸妈了。他深深地吸了几口气，能静下心来想想爸妈，这是一件多么开心的事，托比觉得无比释怀。

爸妈现在肯定被关在树梢上的某个地方，有一天，他们会不会也回到巴斯-布翰希？托比希望这个愿望能实现。

"爸妈，我很好，我在这等你们。"他低声地说着，希望这声音能穿透时间和空间，让桑和美娅听到。这也是他写在空中的一张明信片，托比常常能想象到一阵微风把这些字符吹上去，吹到爸妈的耳边，或者是被那些神秘的树浆带上去，带到爸妈的身边。

而此时，在树梢上一个臭烘烘的囚室里，一个男人转向了他的妻子，他的身子明显消瘦了许多，衣服也被撕得支离破碎，但扣子却很整齐地扣到领口。他笔直地站在一块发霉的小木板上，透过牢门横栏，看到那位戴着帽子的守卫此时正鼾声大作，估计刚才喝了不少，那苔藓酒瓶还在他跟前摆着。

那位女人双手放在脏兮兮的裙子上，她的眼睛枯涩干涸，因为眼泪早就流光了。

男人对着女人说："我美丽的美娅……"

女人没有作出回应，但这几个词温暖了她寒冷的心，就像是在她瑟瑟发抖的肩头盖上一块热乎乎的披肩一样。

"我亲爱的美娅，我想我们的儿子现在很好。"他伸开手臂把妻子抱在怀里，脸上露出了微笑。

第十五章

磨 坊

当第一眼看到托比时，奥尔梅西夫人爬上椅子尖叫起来，以这种方式来迎接这个只有十三岁的小朋友似乎太过滑稽，况且他早就筋疲力尽。

托比差不多是10点到达这里的。他原以为会在家里碰上所有人，夜里下了雨，磨坊主们不可能出去采集树叶原材料，因为叶子潮湿时会产生一种浆，这样磨出来的面粉质量不高，做不了黄澄澄、香喷喷的面包和糕点什么的。

可是房子里只有奥尔梅西夫人，托比进来时她正在厨房用海绵抹布打扫着她的小推车。这是个灰色的、带轱辘的正方体式推车，上下两面都能打开，好方便装卸树叶，打开下面就能直接让叶片掉进地窖。

奥尔梅西夫人终于不叫了，“你……你……你在这里做什么？”

托比用手捂着脸：“请原谅我的打扰，奥尔梅西夫人，我需要您的帮助。”

“我……我……我先生不在家，我不知道……我的孩子，你要什么？”

“您的儿子呢，他也不在家吗？”

奥尔梅西夫人这会儿才从椅子上跳下来,“莱克斯一大早就出去了,要明天才能回来,他到底下收蛋去了。”

托比哆嗦了一下,“底下?”

“嗯,接近边界地带……”

“哦……”

“是去李家,爱丽莎·李,还有她妈妈。”

“哦……”

“冬天就快到了,我们得做些储备,胭脂虫产了很多蛋,但是,请告诉我,你……”

“她们还好吗?”

“你指谁?是胭脂虫吗?”

“不,我说的是爱丽莎,还有她妈妈。”

“我想很好吧,具体情况我也不知道。”

听到这个消息,托比深深地舒了口气。虽然不知道她们到底好不好,但至少没什么大灾难。

“那么,你,我的孩子,你要什么呢?”奥尔梅西夫人弯下腰关心地问道。

托比此时有种冲动,想拔腿就跑,出现在爱丽莎的面前,但他还是冷静了下来,待在原地没动。此时他的眼神布满了疲惫,连身子都开始摇晃了,他需要食物和休息。

奥尔梅西夫人把椅子推到他面前,但托比只是靠着椅背站着,他怕一坐下去就会睡着。这时奥尔梅西夫人对他说:“我还以为你也待在上头呢,人们到处都在议论你们家……说你们遇到了很多麻烦。”

“我需要休息……我要在这睡到明天早上。”托比连说话都开始含糊不清了。

“啊?!……这恐怕不方便,我们……你看,我们仅仅只有两张床。”

如果不是累得快神志不清的话,托比肯定知道莱克斯的床是空的,或者这只是个借口,奥尔梅西夫人并不欢迎他的到来,也不想招待他,但此刻,他只是对她说:

“我……我不需要睡在床上……我……我睡在这地窖里就行了。”

“可是,可是……”

“奥尔梅西夫人……我求您了……我……我……”这时,连椅子都开始在颤抖,“我太累了。”

奥尔梅西夫人推开了树叶车,地板上出现了一块翻板活门。她什么也没说,打开门便让托比进去。托比的身子已经进了一半,但他保持了最后的清醒,对奥尔梅西夫人说道:“请您把推车放在原来的位置上,请您不要对任何人讲我在这,算我求您了。”

奥尔梅西夫人看着这个可怜的小孩连眼睛都睁不开了,嘴里却还念叨着:“谢谢您。”

门板合上了,推车已经回到了原来的位置上。地窖里面粉淡淡的香味轻轻掠过托比的鼻子,他想起了妈妈,想起她做的热气腾腾的面包,她总是会给他切上厚厚的一块,上面涂满了黄油。

但不一会儿,他便进入了梦乡。

醒来时,他已经没有任何时间概念,他确信自己在睡梦中听到了一些响动:脚步声和大声说话的声音,好像是谁勃然大怒。对,是奥尔梅西先生,他回来了,但他似乎被妻子激怒了……可是现在,上面静悄悄的,什么声音也没有,所以托比认为可能是自己做了一个噩梦而已。

托比伸了个懒腰,黑暗中他摸到了从塞多尔农庄带来的褡裢,于是,他津津有味地把里面的食物吃了个精光。他知道这是阿塞尔多赫家的拿手好菜,以前每次回家时,他们都会给他准备些食物在路上吃:脆皮果酱饼,炸土豆片,蚱蜢肉酱罐头……

填饱了肚子后,托比才想起在跟黑寡妇决斗时他忘记许诺了,对,食物给了他极大的安慰和能量,他发誓以后要学会做饭菜。

他又听到了轱辘车被推动的声响,翻板门被打开了,奥尔梅西先生探下脑袋,很慈祥地问托比:

“我的孩子,现在好些了吗?露西尔告诉我你想在这里休息一下,没关系的,你想待到什么时候走都可以。我的孩子,要吃点

什么吗?”

“谢谢您,奥尔梅西先生,我这都有。”

“嗯,好极了。你就这么待着吧。”

他合上了门板,但接着又打开了:“大约一个小时后,我要和露西尔出去采些叶子,天黑之前会回来,到时候我们再给你做些好吃的。”

他重新关上了门板,推车又回到了原来的位置上。黑暗中,托比一动不动地站着。

还没到一个小时,奥尔梅西夫妇便穿上了工作服,镰刀挂在腰间,在推走小车之前,他们轻轻地敲了三下门板,得到托比的回应后才离开。

“我们很快就会回来的。”说完,奥尔梅西先生便带着夫人出门了。

奥尔梅西夫人走在前面,她丈夫推着车跟在后面,没走多远便到了花园尽头的小丘上。这小丘是树皮隆起自动生成的,但恰好成了花园的外围界线。

就在这里,有一队人正等着他们,一共十五个。

一看到他们,奥尔梅西两口子腿就发软。奥尔梅西夫人转身望着她的丈夫,这个勇敢的男人正向这些人走去。

其中一个人问道:“现在怎么样了?”

奥尔梅西先生回答道:“我……我都照你们说的做了。”

“那小孩就在我们家地窖里。”奥尔梅西夫人补充着说。

这个人只顾搓着双手,看都不看夫妇俩一眼。这时奥尔梅西夫人走上前说道:“那钱呢?你们什么时候给我们?”

就像是听完一个很滑稽的故事,这群人狂笑了一阵,回应了

她的插问，紧接着，他们便把磨坊庄园包围了。

奥尔梅西夫妇推着车子继续往前走，他们脸色很难看，像是变了形，额头上的汗珠正大颗大颗往外冒……

“我们这是在做什么啊？露西尔，你说我们这是在做什么啊？”

这支特遣队是乔·密西·阿尔波集团的精锐部队，换句话说，这是一群最恶毒的人渣、最卑鄙的坏蛋。他们训练有素，动作敏捷轻快，就像是一群穿着短裙跳古典芭蕾的舞蹈演员，只不过身上都佩戴着武器。他们堵住了磨坊庄园的每一个出口，不放过任何一扇窗、一道门、一个可出入的洞，有人甚至爬到风车翼上，悬在上面，当然，这风车已经停住了。

一切进展得很顺利，照这样下去，乔·密西应该很快就能开心了。

只一秒钟的工夫，大门便被他们用火焰喷射器冲开了。四个高大威武、肩上都背着弩的猛汉闯了进来，不一会儿，他们便围住了地上的翻板门。第五个人进来准备把这扇门掀开，而其他四个人则在四周戒备着。

他们用大头棒砸开了门板，四个弓箭手立即用箭对准了黑暗的窖口，但是，里面一点动静都没有，想必托比此时在里面睡得正香呢，估计费不了多大周折，就能让他束手就擒了。

队长拿着火把最先跳了下去，但他看到的只是满屋子堆积如山的面粉，除此之外，再没别的。

队长笑了笑，他早就料到会这样。他把其他几个人也叫了下来。他们手里拿着长柄叉，开始刺向面粉堆的每一个角落。只要一听到痛苦的叫声，他们就知道这小逃犯在哪里了。

但是，他们轮班接替翻遍了整个面粉堆也没把托比翻出来。

一个小时过去了，十五个人变成了十五个雪人，但什么也没找到，他们咳喘着，嘴巴里黏糊糊的，都快透不过气来了。面粉沾着他们的眼睛、舌头，塞进他们的耳朵，总之是无孔不入。

队长已经失去了刚进来时的得意劲儿，满脑子的面粉差不多都变成糨糊了，此时他正在地窖的墙角对着手中的火把酝酿一个喷嚏，突然间，他抬头看到了墙上用黑炭写下的几行歪歪扭扭的字。他举起火把仔细看了看，认出是一首脍炙人口的儿歌中的四句：

特意来到小磨坊，
想取一个小面包，

但我只在地板上，
看到一群小白鼠。

托比摸黑写出的字迹看起来又滑稽又笨拙，但这短短的几行字却让这个粗鲁的家伙凝视了许久。其他十四个人也跟着凑了过来，说实话，他们看起来比歌谣里的小老鼠还要白、还要黏糊，而队长，这个可怜的家伙正窘得像个小丑，急得直跺脚。

奥尔梅西夫妇又走了一段路后，在一节枯枝转角处停了下来，坐在一个木桩上歇息。因为前夜下了雨，地面一直很潮湿，还有许多水坑。

“露西尔，我们做了些不好的事。”

“我们把一个只有十二岁的小孩给卖了，人家只是想躲在我们家歇息一下。”奥尔梅西夫人哭了起来，“这可怎么办才好呢?我该怎样向莱克斯解释呢?他根本不会让我们这样做的……”

“十二岁?”一个声音不知从哪里传了出来。

托比选择这个时候从小推车里出来。当他打开上盖，慢慢露出那沾了一些面粉的头时，奥尔梅西夫妇简直不敢相信自己的眼睛。他们颤抖着，同时从树桩上滑了下来，瘫坐在泥地里，托比又重复了一遍：“十二岁?”

这场面看起来像是一出木偶戏，但托比一点也笑不出来。他用眼睛死死地盯着这对磨坊主，那眼神足以把最坚实的木头劈成碎片四处飞溅。

一个小时前他就开始愤怒了，也就是当奥尔梅西先生告诉他说他们要出门采集树叶。采树叶！大雨天采树叶！开什么玩笑！他们是不是把托比当白痴?!他立即明白了其中有阴谋，所以他打开了推车的下板面，钻了进来。

托比继续用眼神刺伤这对可怜的磨坊主。

“首先，我不是十二岁，我已经十三岁了，连最老的树枝都知道该怎么计算年龄，其次……”

托比打住了，他想到接下来的事情足够惩罚这对夫妇了，他没必要再给他们添些痛苦，等待他们的肯定只有乔·密西的勃然大怒。

托比跳出了推车：再见！

转身离开时，天已经黑了。

磨坊庄园的这一出闹剧对他打击很大，托比不知道还能信任谁。但是，他心中还有希望，还有光芒，那就是爱丽莎，他的死党，是他可以一直信任的人。此刻，他决定要径直去找他唯一的朋友——爱丽莎。

午夜时分，他来到了爱丽莎家，但他没有敲门，而是蹲在山坡后，把拇指放在牙间，学着蝉叫了起来。一次，两次，三次，屋子里没有任何反应，他叫了第四次。

可能她真的是睡熟了。托比不敢久留，他转身朝着苔藓林走去，穿过这小树林，再翻过一座山，就能看到那儿的全景。月光照耀下，熟悉的湖面就呈现在眼前了。一想到这儿，托比心中无比地轻松。他从山坡上冲了下来，脚步轻盈快活，就像是一根羽毛轻轻地在树皮上擦过。

跑到湖边时，他停住了。

一轮明月挂在空中，有几片树叶飘落在湖面上，形成了几个宁静的小岛。五天前，他还躲在树梢上一个黑窟窿里遥望星空，而现在，他回来了！尽管这里的叶子已经换上了秋天的颜色，但

他熟悉这里的一草一木。回来了,终于回来了!

逃亡生活到此为止。

他要在这湖畔等着爸妈回来,他相信有一天,爸妈会提着小箱子,手臂里夹着大衣回到这里的。

“我们回来了……”

“这段日子虽然久了点,但一切都已经结束了。”妈妈隔着面纱说道,“你看,我们的生活又可以重新开始了。”

但这只是他的假想,是他美好的愿望,在他内心深处,他预感到暴风雨又要来临了,这一切并没有结束。梦越来越温馨,越来越具有诱惑力,但事实上只是心灵一次次在寻找避风的港湾,就像是在大雪天里寻找一床鸭绒被。

就在这时,他听到了一个声音——蝉叫声,深秋的夜里真的还有蝉叫?没错,这确实是蝉叫声,而且不是他自己发出来的,那么……托比的眼睛一下子睁大了,这个时刻他终于等到了。

一个阴影挡住了他头上的月光。

“你是在做梦吗?”爱丽莎带着她铃铛般清脆的笑声问道。

“对,我是在做梦。”

此时,每分每秒都像是夹心巧克力球,那样圆实,那样甜蜜。

“你的梦结局好吗?”爱丽莎继续问道。

“这就看你的了。”托比的回答很直率。